池上 彰
Akira Ikegami

歴史で読み解く!
世界情勢のきほん

ポプラ新書
247

はじめに

「欧州情勢は複雑怪奇」

私たちは、どれだけ世界のことを理解しているでしょうか。それを痛感させられたのが、ロシアによるウクライナへの軍事侵攻でした。21世紀の世界で、国連で主要な位置を占める国家が、世界から認められている独立国家に対して堂々と軍事侵攻するなど、想像もできませんでした。

あるいは、「ヨーロッパの中心国家」だと思っていたイギリスが、まさかのEU離脱。イギリス人の中には「自分たちはヨーロッパではない」と思っている人たちがいることに気づかされました。

ここで思い出すのは「欧州情勢は複雑怪奇」という〝迷言〟です。

1939（昭和14）年、当時の日本の平沼騏一郎《ひらぬまきいちろう》内閣は、ソ連（ソビエト社会主義共和国連邦）の共産主義の脅威に対抗するためにヒトラー率いるドイツとの関係を強化しようとしていましたが、8月になってドイツがソ連との間に不可侵条約を締結します。〝敵〟に対抗するために〝味方〟と連携しようとしていたら、両者が連携してしまったというわけです。

これを受けて8月28日、いわゆる「複雑怪奇」声明を発して内閣総辞職しました。

「今回帰結せられたる独ソ不可侵条約に依り、欧州の天地は複雑怪奇なる新情勢を生じたので、我が方は之に鑑み従来準備し来った政策は之を打切り、更に別途の政策樹立を必要とするに至りました」という声明です。

当時の日本政府の「国際情勢オンチ」ぶりを示す声明として歴史に名を残していますが、現代の政府も私たちも、同じような状況かもしれません。ロシアが軍事侵攻する直前まで、ロシア情勢に詳しいはずの専門家たちは、「ロシアはウクライナに侵攻することは考えられない」と言っていたからです。

イギリスで2016年に実施された国民投票でEU離脱が決まったときも、直前まで多くの識者が「離脱案は否決されるだろう」と分析していました。

さらに同じ2016年にアメリカ大統領選挙でトランプ氏が勝利したときも、多くの人が予測を外しました。

「地政学」で世界を見ると

こうした世界情勢を理解するために、最近しきりに使われる言葉が「地政学」です。

地政学とは、読んで字のごとく「その国が置かれている地理的立場によって政治状況が形成される」ことを分析する学問です。

陸続きの他国に囲まれている国は、侵略を受けやすい地理的状況にあります。逆に他国を侵略して領土を広げたいという誘惑に駆られやすくもなります。こういう国家を、地政学では「ランドパワー」と呼びます。ロシアやウクライナ、ポーランドやドイツ、フランスなども、そうした国々です。

一方、四囲《しい》を海に囲まれているイギリスや日本のような国は、周辺の国家から侵略を受ける危険性が少なく、海を利用して他国と貿易を拡大することで発展します。これが「シーパワー」です。

ところが、海に囲まれていると、「敵国がどこから上陸してくるかわからない」という不安から、近くの大陸に橋頭堡《きょうとうほ》を築いて緩衝地帯にし、国家を守ろうという誘惑に駆られることもあります。たとえばイギリスはフランスを侵略して領土を占領。両国の間で「百年戦争」となりました。

いまでこそイギリスとフランスは良好な関係にありますが、フランスの一般国民のレベルでは、イギリスに対する拭い難い不信感が存在しています。

日本もユーラシア大陸からの侵略を恐れ、清との間で朝鮮半島の権益をめぐって戦争となりました。それが日清戦争です。

さらにロシアが不凍港を求めて南下し、朝鮮半島を押さえようとするのではないかと恐れ、戦争になります。日露戦争です。

ロシアに勝った日本は、その勢いを駆って朝鮮半島を植民地にします。「韓国併合」です。それでもロシアへの恐怖は消えず、中国大陸に侵攻して「満州国」を設立します。世界のどこの国も認めない傀儡《かいらい》国家でしたが、これもロシアとの間に緩衝地帯を置きたかったからです。

これが戦後、中国や韓国の人たちの「反日意識」となって残ります。過去の行動が、いまも両国間の棘《とげ》となって存在しています。

一方、アメリカも広い面積を持ち、まるでランドパワーの国のように見えますが、大西洋と太平洋に挟まれたシーパワーの国です。太平洋に進出し、中国大陸まで勢力を伸ばしたアメリカは、中国大陸に版図《はんと》（領土）を広げる日本が邪魔になります。日本の中国侵略を止めようと、石油や鉄鉱石の日本への輸出を禁止することで日本への打撃を意図しました。いまでいう「経済制裁」です。

しかし、その結果、日本は「石油や鉄鉱石が入って来なければ中国との戦争が戦えなくなる」という危機意識を持ち、インドネシアの石油やゴムを確保すべくインドネシア（当時はオランダの植民地）を攻撃します。ただ、インドネシアを占領すると、イギリスやアメリカが攻撃してくるだろうと考え、シンガポールを植民地にしていたイギリスを攻撃し、アメリカの太平洋艦隊に打撃を与えるべく真珠湾を攻撃するという挙《きょ》に出ます。かくして日中戦争は太平洋戦争に発展してしまいます。

攻撃を受けたアメリカは、日本と、日本と同盟を組むドイツやイタリアに宣戦布告。欧州戦線は世界規模に拡大し、第二次世界大戦へと発展してしまいます。

こうした歴史的事実について、地政学では「シーパワーの日本が大陸進出というランドパワーに手を出したために、シーパワーの大国アメリカに敗れた」という分析になります。

これはこれで、なるほどと思わされますが、後付けでの解説にも見えてしまいます。世界情勢は、単純ではないからです。

そこで本書は、地政学の知見を取り入れながらも、世界の各国が、どのように自国と世界を見ているのかをたどってみます。そこには、それぞれの国家あるいは国民意識が生まれた歴史があるのです。これにより、国際情勢の基本は押さえることができるはずです。

私はこれまでに世界86の国と地域を訪れて取材してきました。それらの中から、世界情勢を理解する上で欠かせない国々（地域）を抽出してみました。あなたの世界情勢認識に少しでもお役に立てれば幸いです。

歴史で読み解く！　世界情勢のきほん／目次

第3章　「もっと我々に敬意を払うべきだ」　93
領土をふたたび拡大したいロシア

第5章 「我が国はヨーロッパではない」 157

第6章 「EUを支えるのは我が国だ」 戦争を反省し欧州のリーダーとなったドイツ

第8章　「もはやアメリカの裏庭ではない」　241

日本と縁の深い南米の大国ブラジル

第9章　「我々は神の国だ」

世界一を自負するアメリカ　263

第1章

「我が国は世界最大の民主主義国だ」

世界一の人口を誇るIT大国インド

我が国は世界最大の民主主義国だ。そこが中国とは違うのだ。
世界はいつも二大勢力の対立の場になるが、インドは違う。
第三の道を進み、世界にはもう一つの道があることを示す。
インドはヒンズー教ばかりではない。
イスラム教もシーク教も仏教もジャイナ教もある多様な宗教国家だ。
いまやIT先進国として世界をリードするのが我が国だ。

遂に人口世界一に

インドの人口が14億人を超え、2023年初頭には中国を抜いて世界一となりました。最近では「グローバルサウス」の盟主のような立場となり、世界の中で存在感を高めています。GDPでは2022年に旧宗主国のイギリスを抜いて世界5位に躍進しましたが、いまの勢いでいくと、2027年頃には日本を抜いて3位になりそうです。インドの勢いが止まりません。

インドは「世界最大の民主主義国」と自賛しますが、ロシアによるウクライナ侵攻に対し、国連で非難決議が採択された際に棄権しています。つまりロシアを非難していないのです。

それどころかインドはロシア産の石油を大量に安く買い上げています。欧米各国がロシアに対する経済制裁として石油の購入を中止したことで、困っているロシアの足元を見て安く買い叩いているのです。これで果たしてインドは「民主主義国」と言えるのでしょうか。

「グローバルサウス」に関しては別の章で取り上げるとして、そもそもインドとはどんな国なのかを見ていきましょう。

世界に人材を輩出するインド

インドは人口が世界一ばかりでなく、世界に多彩な人材を輩出しています。たとえばイギリスのリシ・スナク首相はインド系です。妻アクシャタはインド第2位のＩＴ企業インフォシス創業者ナラヤナ・ムルティの娘で、夫婦合わせての資産はイギリス王室の財産を超えると言われています。

アメリカのカマラ・ハリス副大統領もインド系です。母親がインド出身なのです。

またサウスカロライナ州知事や国連大使を歴任して、２０２４年の大統領選挙に向けて共和党の候補に名乗りを上げたニッキー・ヘイリーもインド系です。

さらに２００８年から２０１６年までルイジアナ州知事を務めたボビー・ジンダルも、ヘイリーと同じインド・パンジャブ州からの移民２世です。２０１６年の大統領選挙への出馬を表明しましたが、後に撤退しています。

経済界に目を転じると、IT業界ではマイクロソフトCEOのサトヤ・ナデラ、グーグルのサンダー・ピチャイ、IBMを率いるアルビンド・クリシュナ、YouTubeのCEOに就任したニール・モハンなど多彩です。

2022年にイーロン・マスクがツイッター（現X）を買収したことに伴いCEOを解任されたパラグ・アグラワルもインド出身でした。

また、スターバックスCEOのラクスマン・ナラシムハン、シャネルのリーナ・ナーイルら、枚挙に暇《いとま》がありません。

国際機関でも活躍が目立ちます。2023年6月には世界銀行の総裁にアジェイ・バンガが就任しました。任期は5年間です。バンガは、それまで従業員2万4000人を擁するグローバル企業マスターカードのCEOを務めていました。黒いターバンを巻いた姿が印象的です。

人口が多ければ優秀な人材も多いと言ってしまえばその通りなのですが、社会インフラも十分ではなく、実に多種多様な民族や宗教が渦巻く中でのし上がってきただけに、海外でも能力を発揮できているということでしょう。

インドはなぜIT先進国となったのか

インドがIT業界に多くの人材を供給している理由の一つは、インドがIT大国だからです。特にインド工科大学は各地にキャンパスを持ち、多くの受験生が押しかけます。優秀な学生が多いので、アメリカのIT大手の担当者が直接求人に来るほどです。

インドはまだまだ貧しいだけに、アメリカのIT企業に就職できれば、突然夢のような賃金が約束されます。インドの若者にとって、IT技術を身につけることは貧困からの出口なのです。

インドがIT大国になった理由は、いわゆる「2000年問題」と「時差」、それに「英語力」です。

「2000年問題」とは何か。古いコンピュータは、内蔵されているメモリの容量が少なかったため、西暦の年号は下二桁で表示されていました。たとえば1998年は「98」です。この方式だと、西暦2000年は「00」となり、コンピュータは「1900年」だと勘違いして誤作動が起きるのではないかと心配されていました。

当時は日本でも銀行のコンピュータが誤作動すると預金額がゼロと認識されてしまう恐れがあるから、事前に預金通帳に印字しておくようにと言われたものです。銀行の側も、コンピュータ内のデータを全てプリントアウトしておくという予防措置を講じていました。

このためアメリカの企業の多くが、ソフトの修正をインドの企業に発注しました。ここで力を発揮したのが時差でした。アメリカの社員が終業時にインドの企業に発注すると、インドの社員が出社したときに注文が届いています。一日かけてソフトを修正し、終業時にアメリカに送れば、アメリカの社員が出社時に修正済みのソフトを受け取れるというわけです。

インドはイギリスの植民地だったことから英語を流暢に話す人も多く、それがビジネスに役立ちました。

またインド特有の理由もありました。それは「カースト制度」です。カースト制度に関しては後で詳しく取り上げますが、生まれた階級によって、就ける職業が決まっています。たとえば肉体労働をする職業の階級に生まれれば、どんなに頭脳が優秀でも、肉体労働するしかありません。長年の伝統で決まっていることです。

ところがITは最近の職業。カースト制度で定められた職業ではないので、能力があれば誰でも就ける職業なのです。さまざまな階級の人が集まってきました。

記者会見でモディ首相、気色《けしき》ばむ

2023年6月、アメリカを国賓として訪問したインドのモディ首相は、ホワイトハウスでバイデン大統領と会談した後、共同記者会見に臨みました。モディ首相は、インド国内では記者会見に応じることはないので、極めて異例なことでした。アメリカのメディアにサービスしようとしたのでしょうが、アメリカのメディアは容赦がありません。インドの人権問題を追及する質問が飛び出しました。

〈「カースト制度や宗教、ジェンダーに基づくいかなる差別も絶対にない」。モディ氏は冒頭は淡々とした調子で話していたが、宗教少数派に対する差別について人権団体から批判が出ていると記者に指摘されると、声を張り上げて否定した。

モディ氏は「人々がそのようなことを言うことに非常に驚いている」と不満そうな表情を浮かべ「民主主義はインドのDNAだ。人権がなければそれは民主主義ではない」と強調した。

モディ政権はヒンズー至上主義を鮮明にして反イスラム色の強い政策を実行しており、イスラム教徒が多数派だった北部ジャム・カシミール州の自治権を剝奪。イスラム教徒との分断を深めているとの批判が米国内で上がっている〉

（共同通信2023年6月23日配信）

実はモディ氏はかつて、アメリカからビザの発給を拒否されたこともあります。2002年、西部グジャラート州で1000人以上が死亡した宗教暴動を巡り、当時州首相だった同氏がイスラム教徒の保護を怠った疑いがあるとされたためです。

また、国際ジャーナリスト団体「国境なき記者団（RSF）」が2023年に発表した報道の自由度ランキングで、インドは180か国・地域中161位。前年から順位を11落としています（ちなみに、日本は68位で、G7のなかで最下位）。RSFは「政権に批判的な記者は、モディ氏の信奉者からの嫌がらせや攻撃にさらされている」と危惧しています。

カースト制度が残るインド

ここでも問題になったのはカースト制度です。では、そもそもカースト制度とはどんなものでしょうか。インドではカースト制度による差別は憲法で禁止されています。モディ首相は、このことを強調したのでしょうが、差別が憲法で禁止されていても、それで自動的に差別が解消されるわけではありません。インドでは、カースト制度そのものが否定されているわけではないのです。

このためインドでは、下位のカーストの人に対する優遇措置が取られ、大学入学や奨学金支給、公務員採用などで一定の割合の人が恩恵を受けていますが、人々の間でカーストの意識は根強く、差別は解消されていません。

日本では「カースト」と呼びますが、正確にはヒンズー教における身分制度である「ヴァルナ」と職業的区分である「ジャーティ」があります。16世紀にやってきたポルトガル人が、この階級制度を「カスタ」（血統）と呼んだことから、それがカーストの呼び名になりました。

このうちヴァルナは４つの階級に分かれ、その下に「指定カースト」があります。

・バラモン（司祭・僧侶）
・クシャトリヤ（王族・貴族）
・ヴァイシャ（商人・市民）
・シュードラ（被差別民）
・「指定カースト」（不可触賤民）

ヒンズー教は仏教と同じく輪廻転生を信じています。現在のヴァルナは、前世の生き方の結果であり、現世で変更はできませんが、より善く生きることで、来世では上位のヴァルナに生まれ変わることができると考えられています。

インドにイスラム教が入ってくると、神の前には全ての人間が平等であるという教えに魅力を感じ、イスラム教に改宗する人が激増。結果としてインドではイスラム教徒も1億人を超えています。

ジャーティで職業が決まる

これに対し「ジャーティ」は「家柄」による職業の世襲です。子どもは親の職業を代々受け継ぐのです。たとえば親が大工だったら子も大工に、親が庭師だったら子も庭師にというように。

ジャーティは3000種類にも分かれているといわれます。たとえばインドに進出した日本企業の人によれば、オフィスの掃除でも、机の上を掃除する人と床を掃除する人では異なるジャーティだというのです。

図1 カースト制度に基づくインド社会の構造

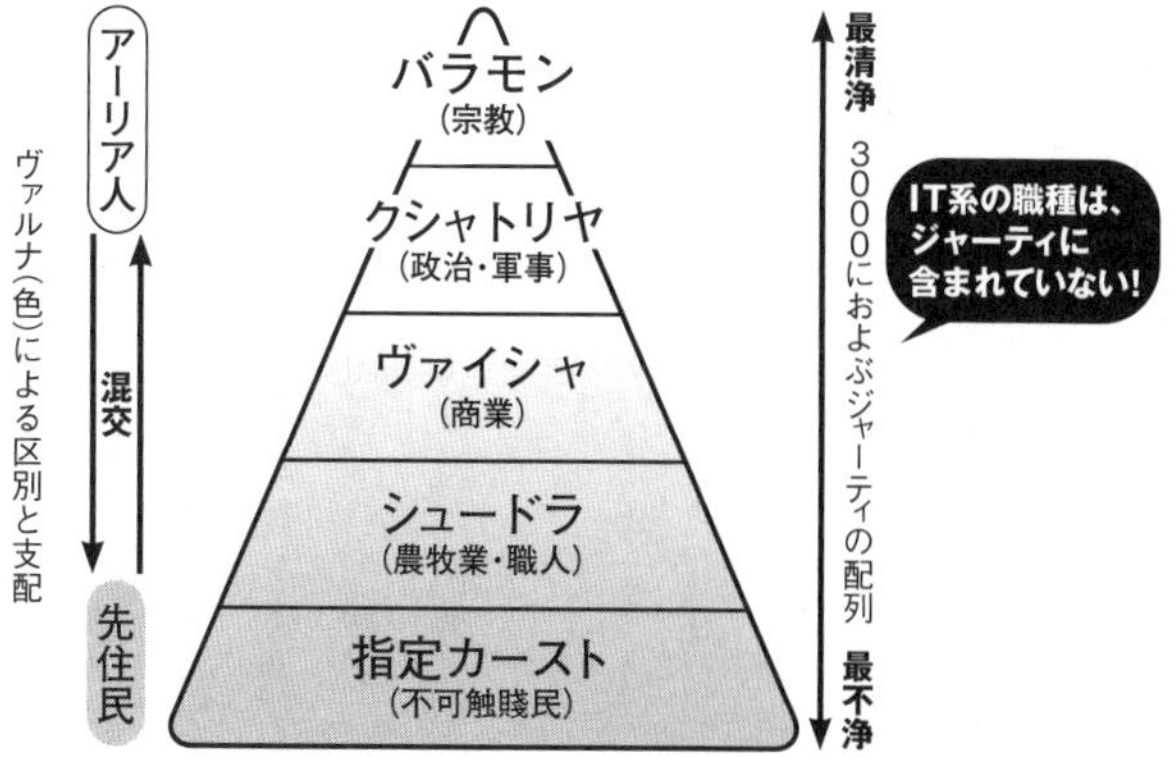

『高等学校地理総合』(第一学習社)をもとに作成

このように仕事が細分化されていることで、人口の多いインドで、いわば「ワークシェアリング」が行われているようなもので、失業者をなるべく出さない知恵となっていると指摘する人もいます。

結果、結婚も同じヴァルナとジャーティの間で行われるのが望ましいとされ、親同士で許嫁《いいなずけ》を決めたり、見合い結婚が奨励されたりしてきました。都市化が進み、大都市では、こうした意識が薄れていますが、地方に行くと、まだ根強く残っています。

多様な宗教と言語をもつインド

インドはかつてイギリスの植民地でしたが、1947年、独立を果たしました。このときパキスタンはイスラム教徒の国として独立しましたが、インドは世俗国家として特定の宗教を優遇あるいは差別しないのが国是でした。国内ではヒンズー教徒が約8割で一番多いものの、イスラム教徒も14%います。ほかにキリスト教やシーク教、仏教、ジャイナ教など多様な宗教が信じられています。

よくインド人というと頭にターバンを巻いた人のイメージがありますが、あれはシーク教徒です。髪を切ってはいけない、他人に髪の毛を見せてはいけないという戒律のためターバンを巻いているのです。

15世紀末に、ヒンズー教がイスラム教の影響を受け、シーク教が生まれました。イスラム教のように、唯一の神を信じ、偶像崇拝を禁止しています。またカースト制度を否定しています。

イギリスの植民地時代、イギリス人はヒンズー教徒でもイスラム教徒でもないシーク教徒を中立的な存在として重用し、世界各地に連れていったので、「インド人＝ターバンを巻いた人」というイメージが広がりました。

世界銀行のアジェイ・バンガ総裁もターバンを巻いたシーク教徒です。

インドの面積は日本の約9倍。広大な土地があるため、言語も多様です。連邦公用語はヒンズー語ですが、他に憲法で公認されている州の言語が21言語もあります。結果、英語が準公用語のような使われ方をすることもあります。

非暴力主義で独立求めたガンディー

インドと言えば、インド独立の父マハトマ・ガンディーを抜きに語れません。「マハトマ」とは「偉大なる魂」という意味です。

１８６９年にインドのグジャラート州で生まれ、宗主国イギリスのロンドン大学（ユニヴァーシティ・カレッジ・ロンドン）で学んだ後に、弁護士となります。

余談ですが、ユニヴァーシティ・カレッジ・ロンドンでは日本の伊藤博文、井上毅《こわし》、森有礼《ありのり》、夏目漱石も学んでいます。

弁護士資格を持った後、ガンディーはイギリス領だった南アフリカで弁護士となりますが、白人優位主義の差別に直面。それまで「イギリス人紳士」として振舞っていたことの愚を悟り、インド人意識に目覚めてインドに帰国。イギリスからの独立運動に邁進します。

彼の行動は、徹底した非暴力主義とイギリスに服従しない不服従運動でした。第一次世界大戦後は、独立運動をするインド国民会議に加わります。

また、イギリス製の綿製品の不買運動を呼びかけ、伝統的な手法によるインドの綿製品を着用するため、自ら糸車を回しました。

こうした一連の行動のために度々投獄されましたが、運動を諦めることはありませんでした。こうした非暴力抵抗運動は世界に大きな影響を与えました。アメリカの黒人差別反対運動のマーティン・ルーサー・キングやミャンマーのアウンサン・スーチー、チベットのダライ・ラマ14世などはガンディーの言動に深い影響を受けたことを認めています。

「ヒンズーとイスラムが融合したインド」を目指した

ガンディーの暴力を行使しない独立運動は、独立運動を力で弾圧しようとしたイギリスの国家としての威信を傷つけるものでした。

その結果、第二次世界大戦を経て国力が衰退したイギリスは、インドの独立を承認します。かくして１９４７年８月15日、ジャワハルラール・ネルーがヒンズー教徒多数派地域の独立を宣言。イギリス国王を元首に戴《いただ》く英連邦王国であるインド連邦が成立しました。その後１９５０年には共和制に移行し、イギリス連邦内の共和国となっています。

しかし、ガンディーが求めた「ヒンズーとイスラムが融合したインド」は成立せず、イスラム教国家のパキスタンとは別々の独立国家となりました。

これを悲しんだガンディーは、ヒンズー教徒とイスラム教徒の融合を求めましたが、この行動をヒンズー過激派は「イスラムに譲歩し過ぎだ」と敵視。ガンディーは１９４８年１月、ニューデリーで過激派により暗殺されてしまいます。78歳でした。

冷戦時代「非同盟主義」で第三の道を歩む

ガンディーと共に独立運動に取り組み、インドの初代首相に就任したジャワハルラール・ネルーは、「非同盟主義」を唱えます。当時は東西冷戦が激しさを増しつつありました。そんな国際情勢の中で、どちらの陣営にも立たないという方針を打ち出したのです。

また国内では政教分離を徹底し、ヒンズー教やイスラム教など多様な宗教集団が共存できるようにしようと取り組みました。

内政では、ソ連の影響を強く受け、社会主義的な政策を採用し、計画経済を推進します。また「非同盟主義」を謳《うた》いながら、1971年にはソ連との間で「平和友好協力条約」を結んでいます。これは、後に述べるように中国の侵略を受けて大きな打撃を受けたことで、中国への抑止としてソ連との関係を築いたのです。その結果、インド軍の主要な兵器はすべて旧ソ連・ロシア製なのです。

今回、ロシアのウクライナ侵攻に対し、国連での非難決議に棄権したり、ロシア産の石油を購入したりしているのは、こうした親しい歴史的経緯があるからなのです。

また、先に触れたインド工科大学を設立したのもネルーです。頭脳立国を目指し、マサチューセッツ工科大学をモデルにして設立したと言われています。

ちなみにネルーと日本との関係で言えば、１９４９年、日本の子どもたちが「象を見たい」と熱望していることを知ったネルーが東京の上野動物園に一頭の象をプレゼントしています。戦争中、上野動物園では空襲で猛獣が逃げ出したら大変だとして多くの動物が薬殺され、象もいなくなっていたからです。

ネルーは象に娘の名前「インディラ」と名付けました。

象の名前となった娘のインディラ・ガンディー（独立運動をしたガンディーとは無関係）は第５代と第８代の首相となり、孫息子のラジーヴ・ガンディーは第９代首相となりました。こうしたことから、一族は「ネルー・ガンディー王朝」と揶揄されることもあります。

パキスタンと戦争に

イギリスからの独立を果たしたインドですが、独立時の経緯からパキスタンとは敵対し、戦争をすることになります。

イギリスの植民地全体を一つの国として独立させようとしたガンディーに対し、これに異を唱えたのがムハンマド・アリ・ジンナーでした。イスラム教徒の指導者だった彼は、ヒンズー教徒の多いインドが一つの国家になるとイスラム教徒に不利になると考え、「イスラム教徒の国家」設立を提唱します。

その結果、ヒンズー教徒が多数派のインドと、イスラム教徒の国家パキスタンに分かれて独立しました。

ただしイスラム教徒はインドの東西両側に多かったことから、インドを挟んで東パキスタンと西パキスタンに領土は分かれながら、一つの国家になります。しかし東西で民族が異なったことから、やがて対立し、1971年、東パキスタンは独立戦争の末、バングラデシュとして独立します。「ベンガル人の国」という意味です。

印パ戦争はなぜ起きたのか

話は独立時に戻ります。インドとパキスタンが独立したとき悲劇が起きました。パキスタンとして独立した地域に住んでいたヒンズー教徒たちが、イスラム国家に住むことを嫌がり、インド側に移動を始めたのです。

一方、インドになる地域のイスラム教徒はイスラム国家を目指して、こちらも移動。結果、両者の大移動が始まり、大行進は各地で衝突を引き起こしました。結果、約100万人が犠牲になったとされます。

建国をめぐって、両国は激しく対立することになるのです。とりわけ問題になったのがカシミール地方です。日本で発行されている地図帳を見ると、インドとパキスタンの国境の北側が白くなっています。国境が画定していないという意味です。セーターのカシミアは、この地方のカシミア山羊の毛でつくられます。

イギリスがインドを統治していた時代は、各地に存在したマハラジャ（藩王）と呼ばれる封建領主の自治を容認していました。インドが独立する前には

563もの藩王が存在したと言われます。イギリスに逆らわない限り、自分の領内での統治が認められたのです。

インドとパキスタンが成立する際、カシミール地方のマハラジャは、インドに入るかパキスタンに入るか、態度を明らかにしていませんでした。時間切れでどちらにも属さずに独立国家になることを目指していたとも言われます。

この地域はイスラム教徒が多く、煮え切らない態度を取っていたマハラジャに腹を立てたパキスタン側は、義勇軍を送り込みます。ところがマハラジャ本人はヒンズー教徒だったため、慌ててインドに助けを求めます。かくして両国はカシミールの領有権を巡って戦火を交えました。これが印パ戦争です。これまでに三回の戦争になり、そのたびにインドが勝利しています。

アフガニスタンでの代理戦争

パキスタンにとっては、正面の敵であるインドと対決するためには、自国の背後が心配です。背後にあるのはアフガニスタン。パキスタンとアフガニスタ

図2 アフガニスタンでの代理戦争

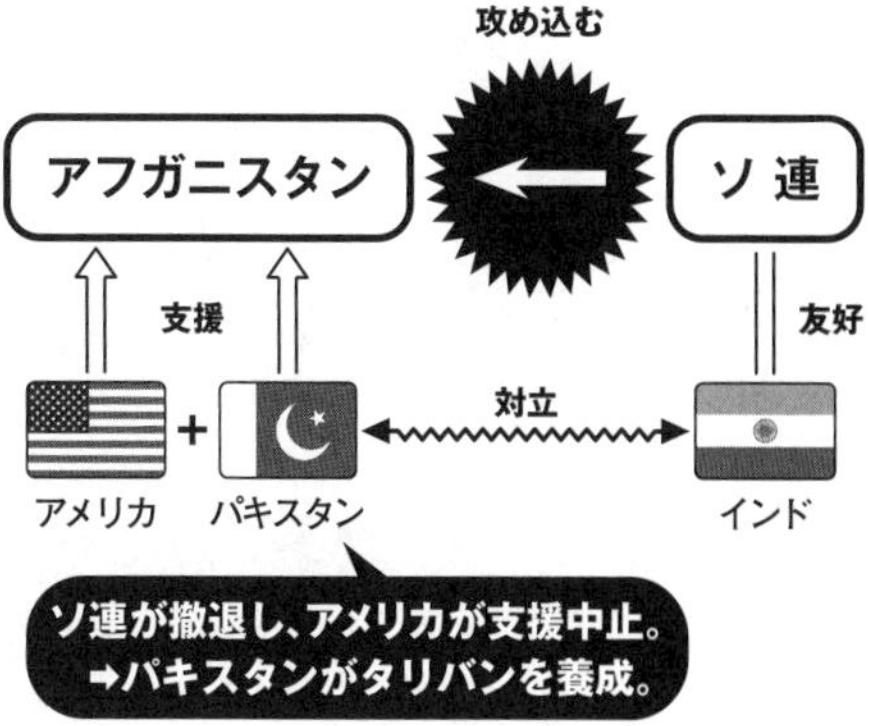

ンの国境沿いには同じ民族のパシュトゥン人が住んでいます。

そのアフガニスタンに１９７９年、ソ連が侵攻すると、パキスタンはアメリカと協力してソ連軍と戦うアフガニスタンのイスラム教徒に武器を送ります。アフガニスタンでは、アメリカ・パキスタン対ソ連の代理戦争が始まるのです。まるで現代のウクライナを想起するような出来事でした。

これによりソ連は大打撃を受けて１９８９年に撤退すると、アメリカは関心を失ってアフガニスタンへの支援を中止。アフガニスタンはさまざまな勢力による内戦状態となります。そこに目をつけたパキスタンは、アフガニスタンから逃げてきた難民の子どもたちが通うマドラサ（イスラム神学校）の学生たちに武器を渡してアフガニスタンに送り込みます。これがタリバン（学生たち）です。

つまりアフガニスタンのタリバンは、インドと対決する上で背後の安全を確保しようとしたパキスタンが養成したのです。

中印戦争はなぜ起きたのか

インドにとって、もうひとつの脅威が中国です。非同盟主義を打ち出したネルー首相は、1954年、中国との間で「平和五原則」を打ち出し、国境紛争の平和的解決を目指しました。

というのも、イギリスがインドを統治していた時代の1914年、イギリスはチベットとの間に、通称「マクマホン・ライン」と呼ばれる国境線を引いていました。マクマホンとは、当時のイギリスの外務大臣の名前です。

しかし、その後に成立した中華人民共和国は、これを国境と認めませんでした。ネルーとしては、これを平和的に解決しようとしていたのです。

ところが1959年、中国国内のチベットで、中国共産党の支配に反対するチベット動乱が起きると、チベットの指導者ダライ・ラマ14世はインドに亡命します。ダライ・ラマを受け入れたインドに対して中国は激怒。中印関係は急速に悪化し、同年8月と10月に国境付近の各地で軍事衝突が起きます。

さらに1962年10月、中国人民解放軍は東部と西部の国境で大規模な攻撃を行います。これが「中印戦争」です。インド軍は大打撃を受けてしまいます。これ以降、インドにとって中国は敵となり、対立が続くことになります。

やがて中国とソ連の関係が悪化すると、インドは「敵の敵」であるソ連に接近。中国は「敵の敵」であるパキスタンに接近。こうしてインド亜大陸をめぐっての地政学的対立が続いてきたのです。

インドと対立関係にある国々

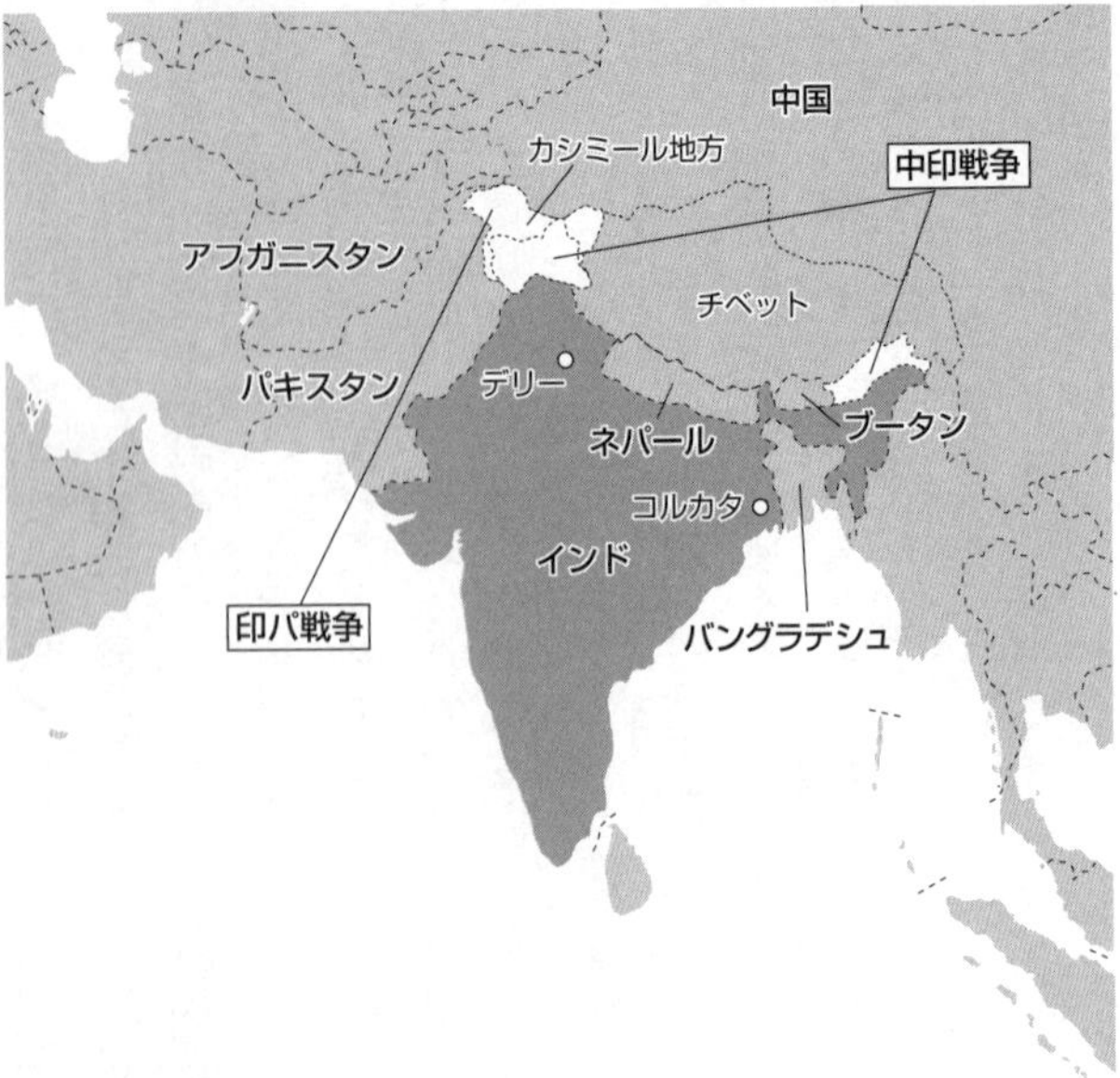

中印戦争
ダライ・ラマの亡命を受け入れたインドに対して中国は激怒。国境付近の各地で軍事衝突が起きる。さらに中国人民解放軍は東部と西部の国境で大規模な攻撃。対立が続いている。

印パ戦争
カシミールの領有権を巡っての争い。これまでに3回の戦争になっている。

新たな中国包囲網QUAD《クアッド》

東西冷戦時代の１９６４年、中国は核実験を成功させ、核兵器保有国となります。アメリカとソ連を敵視して「核の抑止力」を確保しようとしたのです。これはインドにとって脅威です、そこでインドも独自の核開発を進めて核保有国となります。

すると今度はパキスタンが脅威を覚え、核兵器を開発。こんな核の連鎖が起きてしまったのです。

インドは地政学的には海洋国家で、広大なインド洋を支配してきましたが、大陸国家の中国から挑戦を受ける形になりました。

さらに中国は海軍を増強し、インド洋にも進出するようになったことで、インドは陸と海からの脅威にさらされているのです。

このように中国の脅威にさらされているインドは、アメリカや日本から見れば、中国包囲網を形成する上で好都合というわけで、アメリカ、オーストラリア、日本、インドの四か国で「ＱＵＡＤ」を結成しました。これは「日米豪印

図3 インドとQUAD、ロシア、中国の関係

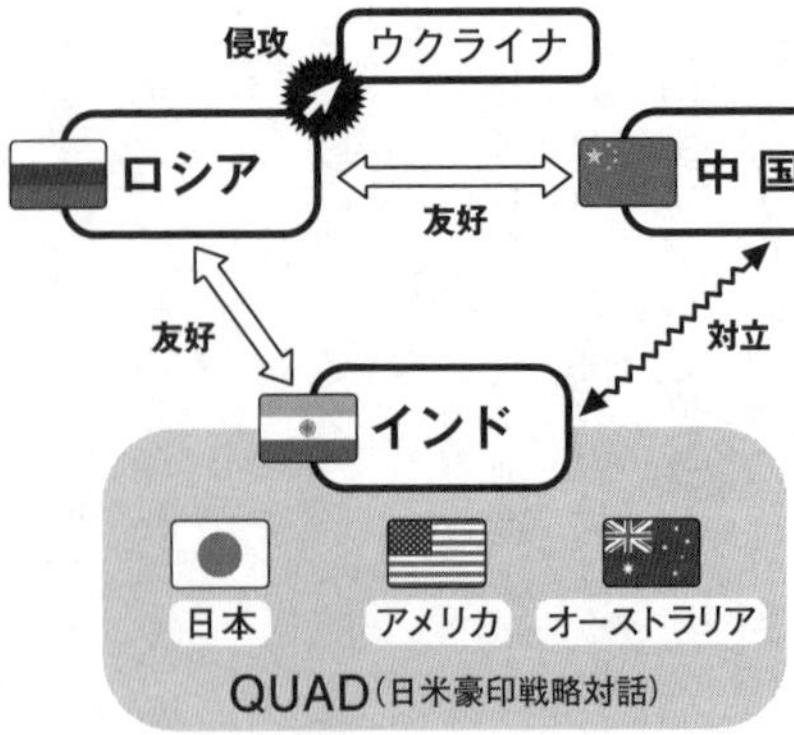

戦略対話」と呼ばれているもので、インド太平洋の平和のために協力していこうという多国間の取り組みですが、要は中国包囲網です。

アメリカにしてみれば、ロシアに対する非難決議に棄権したり、経済制裁に参加しなかったりするインドは困った存在ですが、中国包囲網を形成する上では不可欠な存在です。インドのモディ首相は、そんな思惑を承知した上で、自国にとって最も有利な方策を探っているのです。

日米は経済面でもインドを取り込みたい

その日本とアメリカにとって、インドをつなぎとめる一つの方策が「インド太平洋経済枠組み（ＩＰＥＦ）」です。これは２０２２年、日本を訪問したアメリカのバイデン大統領が発足を宣言しました。バイデン大統領は、「インド太平洋地域の国々の力強く公平な経済成長に向けて、我々が21世紀の経済ルールを作っていく」と高らかに謳い上げました。

でも、経済協力の仕組みなら、ＴＰＰ（環太平洋経済連携協定）やＲＣＥＰ《アールセップ》（地域的な包括的経済連携協定）があるのに、なぜまた屋上屋を架すようなものを作るのか。そこには対中国包囲網を形成しようという意気込みがあります。

そもそも経済協力とは、貿易で高い関税をかけるのを止め、貿易を活発にすることで互いに利益を得ようというものです。国際的な機関としてはＷＴＯ（世界貿易機関）がありますが、１６４もの国と地域が加盟した結果、参加国が多すぎて互いの利益が交錯し、新しい貿易協定ができません。

こうした中でアメリカはＴＰＰを結ぼうと各国に働きかけました。太平洋を取り巻く国々で経済協力を進めることで、アジア太平洋地域で影響力を増している中国を牽制する狙いがありました。

その結果、バイデン大統領がオバマ政権で副大統領だった2016年にアメリカや日本、カナダ、オーストラリアなど12か国が協定に署名しました。

ところが、2017年にトランプ大統領が就任すると、「アメリカファースト」をスローガンにTPPから離脱してしまいます。その結果、TPPはアメリカ抜きの11か国で発足。その後、中国が加盟を申請しました。中国が加盟すれば、アメリカの「中国を牽制する」という狙いが実現しません。

インドも気軽に参加できる「インド太平洋経済枠組み」

その一方で、中国が交渉を主導したのがRCEPです。日中韓とASEAN（東南アジア諸国連合）やオーストラリアなど10か国が参加して、2022年1月に発効しました（現在は15か国）。こちらもアメリカ抜きです。これではアジア太平洋は中国のものになってしまう。焦ったバイデン大統領が苦し紛れに打ち出したのがＩＰＥＦというわけです。

ここで注目するのは「枠組み」という名称です。協定のように縛りが厳しくないので、参加各国が議会で承認を得る必要がありません。各国は気軽に参加できるのです。その結果、ＴＰＰにもＲＣＥＰにも入っていないインドを引き込むことに成功。計13か国で発足することになりました（現在は14か国）。

なぜインドが参加したのか。ＴＰＰやＲＣＥＰは関税を引き下げなければならないので、安い農産物が入ってくることに国内の農家が反発しているのですが、ＩＰＥＦは、関税を削減したり投資を活発にしたりすることは内容に入っていないのです。ＩＰＥＦの内容は四本柱。公平な貿易。サプライチェーン（供給網）の強化。インフラ整備・脱炭素。反汚職。抽象的な目標に留まっています。

しかも加盟国は、全部の項目を了承しなくてもいいのです。賛成できる内容があれば、それだけを守ってもらえれば、ほかの項目にも参加しろとは言いません、というものなのです。実に緩やかです。

肝心なのは「インド太平洋」という名称。中国を入れないで対中国包囲網を形成しようということです。その点でインドが参加したことは成果になるというわけです。それほどインドを取り込みたいのです。

インド情勢を理解するきほん

□インドとロシアは、ソ連時代から歴史的に強い結び付きがある。インドは、ウクライナに侵攻したロシアに対する国連の非難決議を棄権。ロシア産の石油を大量に購入している。

□インドがIT大国である理由は、「2000年問題」と「時差」と「英語力」。

□初代首相ネルーは、東西冷戦時代に「非同盟主義」を唱えた。現在のモディ首相も、アメリカやロシアとの関係を保ちつつ、自国に有利な方策を探っている。

□インドは、イギリスから独立する経緯で、パキスタンと敵対し、紛争が起きている。

□チベットの指導者ダライ・ラマ14世がインドに亡命したことで、中国との関係は急速に悪化し、国境をめぐり対立が続いている。

第2章

「我が国が世界の中心だ」

中華思想を国名にした中国

中国は世界の中心だ。
世界の四大発明は中国のものだ。
シルクロードも南シナ海も中国が開拓したのだ。
これまで中国は列強の支配・介入を受けてきたが、
もはや21世紀は中国の世紀だ。

自動車ショーでドイツ車が槍玉に

２０２３年4月19日、上海モーターショーの会場でのこと。ドイツのＢＭＷのブースで、来場者にアイスクリームが無料で配布されました。短時間で品切れとなり、アイスを求めた客の中国人が女性スタッフ（中国人）に「終了した」と断られました。

ところが、その直後に来た外国人男性にはアイスクリームが渡されたことから、この様子が中国版ＳＮＳに投稿されると、「中国人差別だ」との声が殺到しました。

すると、中国人男性が会場に大量のアイスクリームを持ち込んで、ＢＭＷのブースの前に置き、「中国人には無料だ」と叫びました。その結果、大勢の客がアイスクリームに殺到。大混乱となりました。

しかし、話はこれで終わらなかったのです。ＳＮＳで情報が拡散すると、ＢＭＷのボンネットに「ドイツへ帰れ」と落書きされた映像が、これまたＳＮＳにアップされました。

また、江蘇《こうそ》省のある企業は、ＢＭＷを保有する社員に対し、「１か月以内に売却する誓約書を書いてください。応じない従業員は解雇します」との通知を出したそうです（「読売新聞」２０２３年4月25日朝刊）。

中国全土でＢＭＷ不買運動へと発展したのです。

モーターショーでのアイスクリーム配布騒動の顚末は、客に配る分がなくなった後、スタッフ用に保管してあったアイスをスタッフに配布したに過ぎなかったのです。それを目撃した人が、勝手に「中国人差別だ」と怒り出したという訳です。

この反応には呆れてしまうのですが、ここには、かつて世界から低く見られていたことへの反発と、経済大国に発展して肥大化した自意識の過剰さが浮かびます。「偉大な中国をバカにするのは許せない。もうそんな時代ではない」という思いです。

現代中国の首脳たちは、祖国が帝国主義諸国によって辛酸《しんさん》を嘗めさせられたという歴史の記憶にもとづき、かつての栄光ある帝国の輝きを復活させたいという思いを持っています。この視点を摑んでいれば、現代中国の思想と行動が理解できるのです。

本来は「世界の真ん中」の意味を持つ「中国」あるいは「世界の中心で華開く」を意味する「中華」を国名にしてきた国家とは、どんな存在なのでしょうか。

世界の中心で華開く「中華思想」とは

中国には「中華思想」という考え方があることはよく知られています。「世界の中心は中国であり、中華民族は優れた民族だ」という思想です。中国は周囲の民族を「東夷西戎南蛮北狄《とういせいじゅうなんばんほくてき》」と呼んできました。中国の東も西も南も北も未開人・野蛮人ばかりという認識です。

中華民族は優れた文化・文明を持ち、その徳によって国を治めていると自負し、周囲の野蛮人たちを従わせてきたと考えてきました。

周囲の国が貢ぎ物を持って来れば（朝貢）、その国を属国として認める。これを「冊封《さくほう》体制」といいます。これが「世界の中心」で「華開く」と自認する中華思想でした。

こう考えた人々にとって脅威となったのが、北方から侵略してくる遊牧騎馬民族でした。この異民族の侵略から国を守るために建設されたのが「万里の長城」です。

中国は巨大な「ランドパワー」の国。ランドパワーの国は、陸続きの他国から侵略を受けやすく、自国を守るために他国への侵略を繰り返します。古代中国では各地に「長城」と呼ばれる防御壁が建設されてきました。起源は実に紀元前7世紀頃にさかのぼります。この各地の長城が紀元前3世紀に秦の始皇帝によって統一されました。

ただ現存する万里の長城のほとんどは明の時代（14世紀半ば〜17世紀半ば）に構築されました。

長さは3000キロにも及び、ユネスコの世界遺産に指定されています。かつては「宇宙から見える唯一の人工構築物」と呼ばれてきましたが、2003年に中国初の有人宇宙船「神舟《シエンチョウ》5号」に搭乗した宇宙飛行士が「万里の長城は見えなかった」と証言しています。

中国の「四大発明」

万里の長城は宇宙から見えなくても、中国には世界に誇るものがいくつもあります。それが「四大発明」です。２００８年の北京オリンピックの開会式で、中国はこれを世界に自慢しました。羅針盤、火薬、木版印刷、製紙がいずれも中国発祥であることをアピールしたのです。

羅針盤の出現は紀元前5世紀、火薬を発明したのは紀元前1世紀、木版印刷の登場は1世紀、製紙業は7世紀の頃のことでした。

中国がいかに古い文明を持ち、世界の発展に尽くしたかという功績を、これでもかとばかりに人々が演じたのです。

しかし、そんな誇るべき中国の歴史に暗黒の時代があったというのです。そこで現代の中国を理解する上で欠かせない言葉を紹介しましょう。それが「百《ひゃく》年国恥《ねんこくち》」です。１８４０年に起きたアヘン戦争以降の１００年間が、中国にとっては恥なのです。

「百年国恥」を雪《すす》ぐ

そんな思いを発露させたのが、2017年10月に開かれた中国共産党第19回全国代表大会での習近平《シーチンピン》総書記の演説です（「新華社日本語版ニュースサービス」2017年10月28日）。

「五千年以上にわたる文明史をもつ中華民族は、輝かしい中華文明を生み出し、人類のために卓越した貢献をし、世界の偉大な民族となった。アヘン戦争以後、中国は内憂外患《ないゆうがいかん》の暗黒状態に陥り、中国人民は戦乱が頻発し、山河が荒れ果て、人々が生活の道を失う大きな苦難をなめ尽くした。民族復興のため、数知れない愛国の志士が不撓不屈《ふとうふくつ》の精神で先人のしかばねをのり越えて突き進み、称賛と感動に値する戦いを進め、いろいろな試みを重ねたが、結局のところ、旧中国の社会的性格と中国人民の悲惨な運命を変えることはできなかった」

「台湾問題の解決と祖国の完全統一の実現は中華民族のすべての人々の共通の願いであり、中華民族の根本的利益にかかわるものであり、『平和的統一、一国二制度』という方針を引き続き堅持して、両岸関係の平和的発展を推進し、祖国の平和的統一のプロセスを進めていかなければならない」

「われわれは国家の主権と領土保全を断固として守り、国家の分裂という歴史的悲劇が繰り返されることを断じて許さない。祖国を分裂しようとする活動には必ずすべての中国人が断固反対する。われわれには『台湾独立』勢力のいかなる形の分裂活動もうちやぶる断固たる意志とあふれる自信と十分な能力がある。われわれは、いかなる者、いかなる組織、いかなる政党がいかなる時にいかなる方式によって、中国のいかなる領土を中国から切り離すことも絶対に許さない」

「同志のみなさん！中華民族の偉大な復興を実現することは、すべての中国人の共通の夢である。香港・澳門《マカオ》・台湾同胞を含めたすべての中華民族の人々が歴史の大勢に順応し、ともに民族の大義を担い、民族の運命を自分の手にしっかりと握りしめるかぎり、中華民族の偉大な復興という美しい未来をともにつくることができる、とわれわれは確信している」

ここで習近平総書記が言っている「一国二制度」とは、香港がイギリスの植民地から中国に返還される際に、当時の中国の最高指導者であった鄧小平《トンシャオピン》が提唱したものです。香港はイギリスの植民地の時代に資本主義経済が発展。民主主義制度も定着していました。それが、社会主義路線をとってきた中国と一緒になった場合、どうなるのかという不安が香港で広がっていました。

そこで鄧小平は、中国という一国の中でも社会主義の中国と資本主義の香港という二制度を50年間並立させるという方針を打ち出したのです。この方針は、香港に次いでポルトガルから中国に返還されたマカオにも適用されました。

実は鄧小平は、香港とマカオでの取り組みを成功させることにより、台湾を統一する際にも、「一国二制度」でいこうと考えていたのです。この演説で習総書記は「台湾問題の解決」と言及した箇所で「一国二制度」という方針を堅持すると宣言しています。

「積年の恨み」を晴らそうとする中国

習総書記は、「アヘン戦争以後、中国は内憂外患の暗黒状態に陥り」と表現しています。偉大な中国は、アヘン戦争以降、惨めな状態になってしまったという自己認識があります。

そんな中国の人たちの自負心を象徴する事件がおきました。それが「二つの辛丑《かのとうし》」です。

2021年の3月、「中国人不吃這一套（中国人にこの手は通じない）」とプリントしたTシャツが売り出されました。これは、2021年3月にアメリカ・アンカレッジで開催された米中外交トップの交渉で、中国の楊潔篪《ヤンチエチー》共産党政治局員が放った言葉です。

米中の外交トップの交渉にアメリカから出てきたのは政府のブリンケン国務長官。それに対し中国は、事実上の外交の責任者である共産党の政治局員です。

楊氏の発言は、中国で喝采を受け、Tシャツまで出現しました。「アメリカに上から目線で発言させるものか」という強い態度が受けたのですね。もはや中国はアメリカと対等なのだという自負の表われです。

これが一段と明確になったのは、会談後、中国共産党の機関紙「人民日報」が、中国版ツイッターである微博《ウェイボー》に「二つの辛丑年」という写真を掲げたことです。

2021年の干支《えと》は「辛丑」。干支は60年で元に戻りますから、120年前も同じ干支です。120年前というと1901年、当時の清朝は、義和団事件を制圧するために攻め込んできたアメリカやイギリス、日本など列強8か国によって鎮圧され、11か国との間で「北京議定書」(辛丑和約)を結ばされました。これにより清朝は莫大な損害賠償金を支払い、外国軍隊の駐留を認めざるをえませんでした。

これをきっかけに清は急激に国力を落としていくことになります。

ふたつの辛丑の会談の写真は、120年前とは違うぞ、今回は対等にアメリカとやり合ったぞ、という成果のアピールなのです。

「義和団事件」といえば、高校の世界史で習ったはずですね。帝国主義列強が中国国内で勢力を拡大することに反発した民衆による武装蜂起です。

反キリスト教の排外主義的な運動で、ドイツの宣教師や日本の外交官が殺害されたことから連合国が軍隊を派遣し、北京を占領しました。これが中国では屈辱の歴史なのです。

百年国恥はアヘン戦争から始まった

「アヘン戦争以後」に中国は内憂外患の暗黒時代を迎えたと習総書記は言います。では、「義和団事件」から遡ること60年、アヘン戦争とはどんな戦争だったのでしょうか。

18世紀中頃からイギリスで喫茶の習慣が広がり、中国（清）から大量の茶を輸入するようになります。産業革命で大勢の労働者が長時間の労働を強いられ、休息や栄養補給のために砂糖とミルクをたっぷり入れた紅茶を飲むようになったからです。

国際貿易ですから、当時の支払いは銀で行われますが、イギリスは銀が流出するのを嫌がり、インドで生産したアヘンを清に売り込みました。この結果、清国内でアヘン中毒患者が激増し、清はアヘンの取り締まりに乗り出し、1839年、イギリス商人のアヘンを没収して廃棄処分にします。

これにイギリスが反発して海軍によって清を攻撃します。これがアヘン戦争です。この戦争に勝ったイギリスは、香港島を割譲させます。要は自分のものにしたのです。

さらに1856年には第二次アヘン戦争で、香港島の向かい側の九龍半島の一部も奪い、さらにその北部を99年間租借《そしゃく》することになりました。要は勝手に借りてしまったのです。当時「99年」といえば「永久」のイメージがあったのですが、やがて99年経った1997年に香港島、九龍半島共に中国に返還されました。

イギリスは、中国にアヘンを売り、大勢の中国の国民を中毒患者にし、さらに大量のアヘンを売りつけて金儲け。怒った中国がイギリス商人のアヘンを没収したら、イギリスは逆切れして中国に戦争を仕掛け、領土を奪い取る。現代の視点で見れば、許されないことです。まさに帝国主義の所業《しょぎょう》です。中国にとっての屈辱の歴史が始まったというのは理解できることでしょう。

日清戦争が残したもの

そして１８９４年、日清戦争が勃発します。朝鮮半島の権益をめぐって日本と清が戦争になり、日本が勝利します。日本は台湾を奪い、賠償金２億両（テール）を受け取ります。当時の日本の貨幣価値にすると約３億円で、現在の価値にすると約３６０兆円にも達する莫大な金額でした。

しかし、日本に敗北し、台湾を失った清の国を引き継ぐことになった中国には屈辱が残りました。

そして１９００年には「義和団事件」が起きるというわけです。

「百年国恥」で植民地となっていた香港とマカオは取り戻した。しかし、日清戦争で日本に奪われた台湾だけは、まだ中国のものになっていない。台湾を取り戻したときこそ「中華民族の偉大な復興を実現」したことになる、というのが中国の戦略目標なのです。

反日運動の中から中国共産党誕生

現代の中国を率いる中国共産党が創設されたのは1921年。誕生してから100年が経っています。反日運動の中から生まれました。

きっかけは1919年5月4日です。当時の中国は帝国主義諸国の侵略を受け、山東半島はドイツが占有していました。そのドイツが第一次世界大戦で敗北したことから、中国の多くの国民が、山東半島が返還されると期待していました。ところがヴェルサイユ条約（第一次世界大戦の講和条約）で山東半島はドイツから日本に引き渡されます。これに怒った中国の若者たちが街頭に出て抗議を繰り広げました。これが「五《ご》・四《し》運動」です。この運動の盛り上がりの中から中国共産党が産声を上げるのです。

これより2年前の1917年、ロシア革命が起きると、当時の社会民主労働党（その後、ソ連共産党に）は、世界革命を計画します。世界を共産主義化してこそ、ロシアの共産主義も安泰になるという発想です。

　この計画にもとづき、モスクワにコミンテルン（共産主義インターナショナル）が設立され、世界各地に支部を建設する方針を立てます。

　五・四運動で若者の反日運動が盛り上がる中国にコミンテルン本部から２人のメンバーが上海に派遣され、１９２１年７月、コミンテルン中国支部が結成されました。これが中国共産党の創設です。つまり中国共産党は、コミンテルン中国支部でもあったのです。世界で最初の支部でした。

　ちなみに翌年、世界で２番目となる支部が日本に設立されます。日本共産党の誕生です。

共産党創設時は、都市部のインテリが中心

　中国共産党の第一回党大会は、上海の中心部にほど近い住宅街で開かれました。当時の党員は約50人。そのうちの代表12人（13人という説もある）が集まりました。

この頃の中国共産党は、大学教授など都市部のインテリが中心でした。「労働者と農民の党」ではなかったのです。

第一回党大会が開催されたこの場所は、現在は記念館となっていて、当時の党大会の様子を再現した蠟人形が展示されています。ただし、ここで最初の歴史の偽造が行われています。毛沢東《マオツートン》が中心に立ち、まるで指導者のように描かれているからです。

実際には、この頃の毛沢東は、湖南《こなん》省の代表にすぎませんでした。毛沢東が頭角を現すのは、国民党軍の弾圧を受けて逃げ回る「長征《ちょうせい》」の過程でした。

できたばかりの中国共産党は、コミンテルンの命令を忠実に実行する党でした。なにせロシアには革命を成功した実績があったからです。コミンテルンは、ロシア革命方式の武装蜂起を指示します。労働者が都市で武装蜂起して革命を成功させろというものでした。中国の事情などお構いなしでした。

中国共産党、武装蜂起

当時の中国の国民の多くは農民で、労働者は都市部の一握りの存在に過ぎませんでした。労働者の間で支持を獲得しても全国への党勢拡大にはつながりません。都市部で武装蜂起しても影響力は限られ、武装闘争はことごとく失敗します。

この路線に見切りをつけ、わずかな部隊を率いて山岳地帯に逃げ込んだのが、毛沢東でした。毛沢東は湖南省と江西省の境界地帯にある井岡山《せいこうざん》に「革命根拠地」を築きます。

当時、ここは「土匪《どひ》」（山賊）の支配地域でした。毛沢東はここに部隊を駐留させ、山賊のメンバーも共産党の軍事組織に組み込みます。ここを拠点にゲリラ闘争を繰り広げ、やがて腐敗した国民党軍を打ち破っていくのです。

しかし、このとき既に毛沢東の指揮に従わない兵士2000人が処刑されています。命令に従わなければ容赦なく処刑する。これが、この党の伝統だったのです。

「毛沢東の中国共産党」が誕生

その後、毛沢東は戦線を拡大するため山岳地帯を降りて新たな根拠地を築きますが、国民党軍の攻撃を受けて逃走を始めます。これを中国の公式の歴史では「長征《ちょうせい》」と呼びますが、要は家族を引き連れての逃避行でした。実に1万2000キロを移動しています。

この過程で大勢の仲間を失いますが、毛沢東は共産党の主導権を握り、1943年5月、中国共産党中央委員会主席に就任します。「毛沢東の中国共産党」が誕生したのです。

この長征は「苦難の行軍《こうぐん》」とも呼ばれます。中国は、国家建設に当たり、困難に直面するたびに「苦難の行軍を忘れるな」をスローガンにするのです。

ちなみに、中国の宇宙開発のロケットには「長征」の名前がつけられています。

戦力を温存した中国共産党

1937年7月、盧溝橋《ろこうきょう》事件をきっかけに日中戦争が始まると、共産党は国民党と協力して日本と戦うことになりました。「国共合作」です。

ところが実際には、共産党軍は日本軍との戦闘を避け、国民党軍に任せて自分たちの戦力を温存する戦略を取りました。当時、日本軍と正面から戦って戦果を上げた共産党軍の将校は毛沢東から叱責を受ける始末でした。

１９４５年８月、日本が連合国に降伏すると、国共内戦が復活しますが、国民党軍は日本軍との度重なる戦闘で、すっかり疲弊していました。

一方、共産党軍はソ連軍からの武器の支援を受けて、内戦を優位に進め、１９４９年10月１日、毛沢東は北京の天安門の上に立ち、中華人民共和国の建国を宣言しました。

中国共産党は、「我々が中国人民を日本の圧政から解放した」と宣伝していますが、実相は異なるのです。「中国共産党の栄光の歴史」という歴史の偽造が行われているのですが、「日本の侵略から中国の人民を解放した」というのが中国共産党の大義です。中国が、しばしば反日の態度を示すのは、そもそも共産党の創設以来の歴史があるからです。

中国はなぜ台湾を狙うのか

アメリカ議会の下院議長が台湾の総統と会うと中国が激怒して台湾を包囲する形で軍事演習を実施する。2022年に民主党のペロシ下院議長が台湾を訪問したときも、2023年に台湾の蔡英文《ツァイインウェン》総統がアメリカに立ち寄り、共和党のマッカーシー下院議長と会ったときにも、中国は同じ対応を示しました。これは、どういうことでしょうか。

まずはアメリカと中国の関係です。第二次世界大戦後、国際連合が発足したときの「中国」とは中華民国つまり台湾でした。しかし、中華民国が統治できているのは台湾だけ。中国大陸には中華人民共和国が成立しているのですから、中華民国が中国を代表しているというのには無理がありました。

アメリカは戦後、台湾と国交を結んでいましたが、やはり人口の多い大陸が経済面でも魅力的です。そこで1972年、当時のニクソン大統領が中国を訪問し、国交正常化に向けて話し合いを続けることで合意します。これにもとづき、実際に正式な国交が結ばれたのは、カーター大統領の時代の1979年でした。

これにより、アメリカは台湾と断交します。しかし、当時のアメリカ議会では「台湾を見捨てるべきではない」との声が強く、議会が、通称「台湾関係法」を成立させます。この法律は、「台湾人民の安全または社会、経済の制度に危害を与えるいかなる武力行使または他の強制的な方式にも対抗しうる合衆国の能力を維持」し、「大統領と議会は憲法の定める手続きに従い、（中略）とるべき適切な行動」をすることを定めています（「日中関係資料集」）。

要は「アメリカはいざというときは台湾を防衛するよ」という意味なのですが、表現は曖昧です。もし台湾が中国から軍事攻撃を受けたとき、アメリカは本当に台湾を守ってくれるのだろうか。これが台湾の人たちの懸念です。

そこでアメリカ議会を代表する形で下院議長が、民主党であっても共和党であっても、それぞれ蔡英文総統に会い、「アメリカは必ず台湾を守る」と約束したというわけです。ちなみにアメリカ議会の下院議長は、副大統領に次ぎ、大統領継承順位2位、実質ナンバー3の力を持っています。

これは中国にとって「台湾という国内問題にアメリカが口を挟む内政干渉だ」となります。中国の軍隊は「人民解放軍」という名称です。中国大陸の人民は「解放」したが、まだ「解放」すべき「人民」が台湾に存在しているというわけです。

台湾独立を認めない背景

第二次世界大戦後、中国共産党は国民党との間で内戦を繰り広げ、多大な犠牲を出しながらも国民党軍を台湾に追い詰めました。さらに台湾に攻め込むために、台湾の対岸に人民解放軍を集結させます。

「さあ、あと一歩で祖国統一の偉業を成し遂げられる」となったところで、朝鮮戦争が勃発。中国は、北朝鮮を支援するため、台湾侵攻は一時棚上げ。人民解放軍を朝鮮半島に送りました。

当時の台湾は国民党の一党独裁でした。独裁者の蔣介石《チャンチエシー》が統治していました。蔣介石は、「いずれ大陸に反攻して中華民国を復活させよう」という野望を抱き、「中国は一つ」と主張していました。「中国は一つ」という点では中国共産党と同じだったのです。

しかし、蒋介石が死去すると、野党の存在が認められ、民主化を進めた李登輝《リートンホイ》総統の時代に民進党（民主進歩党）が大きく成長しました。遂には政権を獲得します。民進党は、もともとの主張が「台湾独立」でした。もし台湾が独立してしまったら、中国共産党の悲願は潰えます。それゆえ中国は民進党の蔡英文総統の政府に厳しく当たっているのです。

さらに中国にはチベット自治区や新疆《しんきょう》ウイグル自治区など、独立をうかがう民族もいます。彼らを勢いづかせないためにも台湾独立はありえないというわけです。

南シナ海が中国の領海という主張

中国は、地政学の観点からはランドパワーに分類されますが、その一方で、東シナ海や南シナ海にも面しています。そこから太平洋に出て行きたい。つまりシーパワーも発揮したいという野望を持っています。そのための歴史的根拠があると主張しています。

中国は南シナ海を自国の海と主張しています。石油の掘削を始めたり、サンゴ礁を次々に埋め立てて中国の基地を建設したりしています。このため同じく自国の海だと主張するベトナムやフィリピンと激しく争っています。中国海軍とベトナム海軍が衝突してベトナム軍に犠牲者も出ています。

中国は、南シナ海すべてを自分の領海だと主張しています。主張通りの地図にすると、牛の舌が南シナ海に突き出しているような形になるため、「中国の赤い舌」と呼ばれます。

しかし、中国の本土からは遠く、ベトナムやフィリピン、ブルネイなどの国々の海岸線近くまでが、全部中国の領海だというのです。これは、どういう理屈なのでしょうか。

中国の主張では、ここに「九段線」という歴史的な境界線が引かれているというのです。

「中国の赤い舌」

中国は、南シナ海すべてを自分の領海だと主張。主張通りの地図にすると、牛の舌が南シナ海に突き出しているような形になる。

「中国こそが大航海時代を切り開いた」

この論拠として登場するのが、15世紀の人物である明の時代の鄭和《ていわ》です。「大航海時代」というのはヨーロッパの専売特許ではない、鄭和こそが大航海時代を切り開き、南シナ海を開発。明の行政権を定めたのだ、というのが中国の主張なのです。

大航海時代というと、15世紀から16世紀にかけ、コロンブスやバスコ・ダ・ガマなどの名前が挙がりますが、実はそれよりも前に鄭和が明の永楽帝の命を受け、南シナ海からインド洋を通って北東アフリカまでの航路を開拓しています。

鄭和はイスラム教徒で、北東アフリカまでの航路では部下をメッカまで派遣して巡礼を果たしています。このとき北東アフリカの現在のソマリアのあたりに上陸したときはキリンを獲得し、永楽帝への土産として中国まで持って帰っています。

このルートは、現在の中国が提唱する貿易ルートである「一帯一路」の海の

明の永楽帝が鄭和に行わせた南海遠征の航路
(1405〜1433)

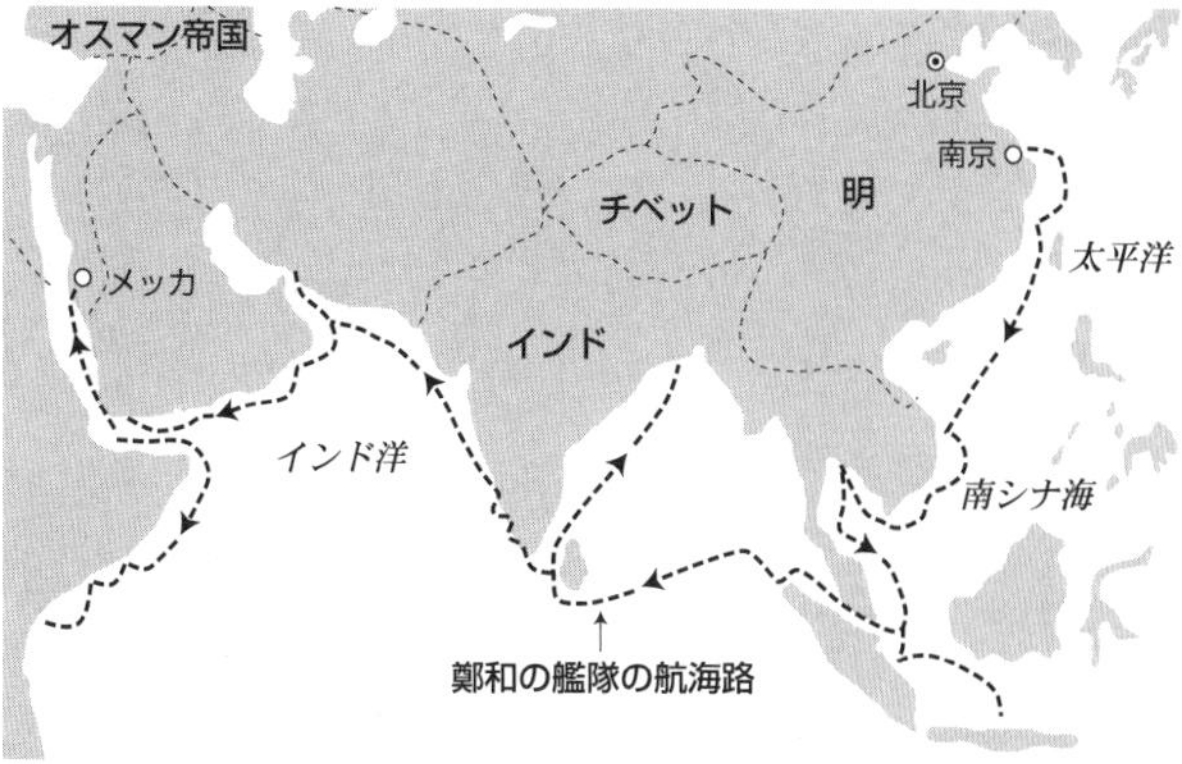

「現代の世界史 A」（山川出版社）の地図をもとに作成

ルートと重なります。

ヨーロッパ諸国がアジアにやって来る前に、明は南シナ海を開発して支配していた。だから南シナ海は中国のものだ、という理屈です。

中国が主張する「九段線」とは

この歴史観はともかく、では、いつ南シナ海が中国の領海となったのか。

それは、１９４７年、当時の中華民国が、地図の上に11本の破線を引いて南シナ海を囲み、「この海は中華民国の領海だ」と宣言したが、世界は異を唱えなかった、というのが理由です。

そんな宣言に世界が気づいていなかっただけではないか、と突っ込みを入れたくなります。地図の上に勝手に破線を引いただけでは、どこが領海の境になるか、はっきりしません。

しかし、1947年、大陸に中華人民共和国が成立すると、中華民国の領海はすべて現在の中国のものになったという主張です。

このとき中国は、隣接するベトナム（当時は北ベトナム）が、同じ社会主義の友好国だったことに配慮して、11本の破線のうち、2本の破線の部分をベトナムに譲り、残り9本の破線を、他国の領海との境界線に定めているという主張です。これが、中国の主張する「九段線」です（「人民網日本語版」2011年11月23日）。

一方、ベトナムやフィリピンの主張は異なります。中国は九段線の正確な座標を公表したことはないというのです。まるで地図の上にマジックペンで書き込んだようなものだ、というわけです。

またベトナムに言わせると、中国の九段線の内側に存在する数十か所の島々に対して、ベトナムが自国の領有権を主張した際、中国は反論しなかったというのです。

一番の問題は、１９９４年に発効した国連海洋法条約を、中国が１９９６年に批准《ひじゅん》していることです。この国際条約によれば、領海は領土から最大12海里（約22キロ）と定められているからです。

仮に中国の主張通り、南沙《なんさ》諸島や西沙《せいさ》諸島が中国領だとしても、南シナ海全部が領海とはなりません。国際的に無理筋の主張をしているのです。

中国としては、欧米の列強によって中国の領土は奪われてきたが、歴史的に独自に開拓した海はどこにも渡さない。ここにも中国の屈辱を晴らしたいという思いが見えています。

習近平、第二の毛沢東へ

中国は中国共産党による事実上の一党独裁が続いています。「事実上」というのは、実は共産党以外に8つの政党が存在しているからです。ただし、この8党はいずれも党の規約で「中国共産党の指導に従う」と明記しています。ほかの政党の指導に従う政党など噴飯《ふんぱん》もの。要は「中国はいろんな政治勢力の存在を認めている」という形をとるためだけのものなのです。

その中国共産党のトップは総書記。総書記が中国の国家元首である国家主席に就任します。総書記に任期制限はありませんが、国家主席に関しては、以前は「2期10年」と憲法に定められていました。ところが２０１８年3月に規定が撤廃されました。過去の国家元首は、この規定に従って引退してきましたが、習近平氏は２０２３年に国家主席として3期目に突入しました。

国家元首の「2期10年」という規定は、かつて毛沢東の独裁を許してしまったという苦い経験を教訓として導入されました。

中国の建国の父とされる毛沢東は、82歳で亡くなるまで共産党主席の座を離しませんでした。事実上の終身制になっていました。共産党主席とは、当時の共産党のトップに君臨するポストです。誰も逆らえず、毛沢東が死ぬまで独裁政治が続いてしまいました。

その結果、文化大革命などさまざまな混乱を引き起こしてしまったという反省から、主席のポストを廃止し、集団指導体制に移行しました。政治局常務委員9人の多数決で物事を決めるようにしたのです。その後、現在の習近平体制になってからは常務委員の数が7人に削減されましたが、多数決で決める仕組みは続いています。つまり、習氏も7人の常務委員の一人。たとえば、ある決定が4対3の多数決で決まった場合、習氏が3人の少数派に属していても、自分の意に沿わない決定を実行しなければならないのです。

ところが2022年の共産党大会で、習氏以外の5人は習派になってしまいました（1人だけは中間派）。結局、習氏の言動を誰も止めることはできなくなっています。いまや習近平は「第二の毛沢東」化しつつあります。

しかし、毛沢東でも実現できなかったことがあります。それが台湾の奪還です。毛沢東ができなかったことを実現して歴史に名を残す。それが習近平の野望なのです。

中国情勢を理解するきほん

□ 周囲の国が貢ぎ物を持って来る朝貢、その国を属国として認める「冊封体制」が中華思想だった。

□ 習近平総書記は、アヘン戦争以後、中国は内憂外患の暗黒時代を迎えたと言う。1840年に起きたアヘン戦争以降の100年間が、中国にとっては恥だと考えているからだ。

□ 中国は、「九段線」という破線を引き、南シナ海を自国の領海だと主張している。明の時代の鄭和の南海遠征を、その論拠としている。

□ 毛沢東でも実現できなかったことが台湾の奪還。習近平の野望はそこにある。

第3章

「もっと我々に敬意を払うべきだ」

領土をふたたび拡大したいロシア

ロシアは世界の大国だ。
かつてはロシア帝国として、
ヨーロッパからアジアまでの広大な領土を擁していた。
ソビエトという世界で最初の社会主義国を建設したのは我々だ。
第二次世界大戦で、我がソ連はナチス・ドイツと正面から戦い、
2600万人を超える犠牲を払いながら東欧諸国を解放したのだ。
それなのに、西側諸国は東欧諸国をNATOに加盟させて
ロシアの国境に迫っている。
もっと我々に敬意を払うべきだ。

ロシアの本質に迫っていた司馬遼太郎

ロシアは、なぜウクライナに侵攻したのか。それを理解する上で、ロシアに関する優れた分析の書を取り上げます。司馬遼太郎の『ロシアについて』です。ロシアがまだソ連だった時代に出版された書物ですが、今回ロシアがなぜウクライナのNATO加盟に強く反発していたかが理解できます。

司馬遼太郎は『坂の上の雲』や『菜の花の沖』の作品を書くために、計7年半にわたって「ロシアとはなにかということを考えつづけた」(同書)そうです。

司馬によると、ロシアの場合、「ロシア平原で農耕を営むということは、じつは危険なことでした。なぜなら、草原(ステップ)が多く、東方からやってくる野蛮なアジア系の遊牧民族にとって絶好の通過地だったからです」「ロシア人は、国家を遅くもちました。ロシアにおいて、国家という広域社会が建設されることが、人類の他の文明圏よりもはるかに遅れたという理由の一つは、右のように、強悍《きょうかん》なアジア系遊牧民族が、東からつぎつぎにロシア平原にやってきては、わずかな農業社会の文化があるとそれを荒らしつづけた、ということがあります。文化も、他の生物学的組成と同様、しばしば遺伝します。ロシア人の成立は、外からの恐怖をのぞいて考えられない、といっていいでしょう」

ロシアという国家のルーツは9世紀に現在のキーウのあたりに誕生したキエフ公国です。

キエフ公国は、海から川をさかのぼって内陸に入ったスウェーデン人たちが、そこに住んでいたスラブ人の農民を支配して建国したとされています。

キエフ公国のトップはウラジーミル大公。いまのプーチン大統領と同名です。彼は、キリスト教の一派であるギリシャ正教に改宗しました。それが、やがてロシア正教になります。

「かれらは、ビザンティンの文化を導入し、やがて農民たちを帰依《きえ》させることで、統御しました。帝政ロシアの終焉《しゅうえん》まで、ロシア国民になるということはロシア正教の洗礼をうけ、教会に属するということと同義だったのですが、そのことが、キエフでそろそろはじまったといえます」

ここでいうビザンティンの文化とは、6世紀ごろから、いまのトルコを中心として栄えた東ローマ帝国（ビザンツ帝国）の文化様式のこと。ギリシャ・ローマ文化とイスラム文化が融合された文化です。

モンゴルに押さえつけられていた「タタールのくびき」

13世紀になって、キエフ公国は、東方からモンゴル軍の襲撃を受けます。キエフ公国は滅ぼされ、そこから東のモスクワに逃げた人たちによって、ロシアの原型が形成されます。

「当時、ロシア平原には都市ができつつありました。その代表的な都市であるモスクワはモンゴル人によって破壊しつくされ、ひとびとは虐殺されつくしました。他の都市も同様でした。キエフも瓦礫《がれき》の山になりました」

その後、モンゴル人の一部はキプチャク汗国《かんこく》を建国して、ロシア平原に居座ります。これが、「タタールのくびき」と呼ばれる停滞時代をもたらします。

「騎馬民族が農耕民族を支配して『帝国』をうちたてたとき、その機構は――

キプチャク汗国に限らず――徹底して収奪のためのものでした。キプチャク汗国がロシア農民に対して行った搾《しぼ》りあげはすさまじいもので、ある説では十四種類もの貢税《ぐぜい》がかけられたといわれ、ロシア農民は半死半生になりました。汗国のやりかたは、ロシア諸公国の首長を軍事力でおどし、かれらを隷従《れいじゅう》させ、その上でかれらを通じ、農民から税をしぼりあげるというもので、これにたえられずに逃げてしまう農民もあり、悲惨なものでした。首長が、汗国にすこしでも抵抗の色を見せれば、汗国から軍隊が急行するのです。軍隊はその町を焼き、破壊し、ときに住民をみなごろしにし、女だけを連れ去るというやり方をとりました」

　凄まじいものだったのですね。この「タタールのくびき」は259年の長きにわたりました。タタールとはモンゴル人のこと。「くびき（軛）」とは牛や馬を御《ぎょ》する時に首に付ける道具。つまりロシアがモンゴルに押さえつけられていた時代という意味です。

「外敵を異様におそれるだけでなく、病的な外国への猜疑《さいぎ》心、そして潜在的な征服欲、また火器への異常信仰、それらすべてがキプチャク汗国の支配と被支配の文化遺伝だと思えなくはないのです」

こんな文化遺伝を受け継いだロシアのプーチン大統領としては、旧ソ連を構成していたウクライナが、かつてソ連に敵対していたNATO（北大西洋条約機構）に入ろうとすることは、「アメリカの陰謀ではないか」との猜疑心《さいぎしん》につながったのです。

ピョートル大帝を手本に領土拡大

2022年6月、プーチン大統領は、生誕350年を迎えたピョートル大帝の展示会を視察した後、「ピョートル大帝は偉大な北方戦争を21年間も展開した。スウェーデンから何かを奪ったと思えるが、何も奪ってはおらず、取り返しただけだ」と主張しました（ロイター2022年6月10日）。プーチン大統領がピョートル大帝を尊敬していることを堂々と披瀝《ひれき》したのです。

彼に言わせれば、スウェーデンが支配していた地域にはスラブ人が住んでいた。それを「取り戻した」という論理なのです。プーチン大統領がウクライナに軍事侵攻したのも「ロシア人を保護するため」という理屈をつけています。彼がピョートル大帝を手本にしていることがわかります。

ピョートル大帝は17世紀末から18世紀にかけてのロシア帝国の皇帝です。ピョートル一世ですが、ロシアを巨大な帝国として築き上げたことで「大帝」と称されます。

初期のロシアは、ヨーロッパではスウェーデンやポーランドに押されて弱小勢力でしたが、ピョートル一世は、プロイセン（後のドイツ）の軍事や税制、官僚制などを手本に近代化を進め、帝国の基礎を固めました。

一方、南方に関してはオスマン帝国が支配する黒海沿岸に進出。いわゆる「南下政策」の端緒《たんしょ》を作ります。冬でも凍らない港を確保したかったのです。1696年には黒海につながるアゾフ海に面したアゾフを占領します。いったんはオスマン帝国の反撃を受けて放棄しますが、ピョートル一世の死後、ロシア領となります。

ピョートル大帝の南下政策とロシアのウクライナ侵攻

ピョートル大帝はオスマン帝国が支配する黒海沿岸に進出。「南下政策」のきっかけを作り、その後黒海につながるアゾフ海に面したアゾフを占領した。

ここは、ロシアがウクライナに侵攻して占領した場所です。プーチン大統領にしてみれば、ソ連崩壊でいったんはウクライナ領になった場所を、ロシアとして取り戻したという発想でしょう。

さらに北方では、バルト海の覇権をめぐって1700年からスウェーデンと戦います。戦争は21年も続いて、ようやく勝利。その戦争中からバルト海の制海権を握り、1712年、バルト海に近い場所にサンクトペテルブルクを建設し、首都をモスクワから移転します。都市名はピョートルの守護聖人である聖ペテロに由来し、「聖なるペテロが守りたもう町」の意味です。

ちなみに、この都市は1905年の第一次ロシア革命が始まった場所であり、ロシア革命が成功してソ連（ソビエト社会主義共和国連邦）が成立すると、首都は再びモスクワに移転します。その後、この都市は革命の指導者レーニンの名前をとってレニングラード（レーニンの町）と改名されます。プーチンは、ここで生まれています。ピョートル大帝に縁があるのです。

ピョートル大帝はサンクトペテルブルクを建設後、バルト海の港湾に要塞を築き、バルチック艦隊を創設しました。バルチック艦隊といえば、日露戦争の日本海海戦で日本軍に敗れたことで知られていますね。

　また、東方ではシベリアに進出し、１６８９年には当時の清との間で国境を画定しています。

エカテリーナ二世も手本に

　２０２２年９月、ロシアがウクライナの４州の自国への併合を承認した際、プーチン大統領はクレムリン（大統領官邸のある場所の通称）で演説しました。そのときの演説の一部を見てみましょう。プーチン大統領は、この４州の地域に関し、ロシアの歴史を語っています。

「我々の祖先、すなわち古代ロシアの起源から何世紀にもわたってロシアを建設し守ってきた人々の世代が勝利を収めてきたのである。ここノヴォロシアでは、ルミャンツェフ、スヴォーロフ、ウシャコフが戦い、エカテリーナ二世とポチョムキンが新しい都市を築いた。私たちの祖父や曽祖父は、大祖国戦争中、ここで死闘を繰り広げたのです」

あまり知られていない名前が列挙されていますが、ロシア帝国の英雄たちです。エカテリーナ二世は知られている名前ですね。彼女はロシアを強大な帝国にした女帝で、彼女が確保した領域は「ノヴォロシア」（新しいロシア）と呼ばれています。

ノヴォロシアとは、今回ロシアが併合した地域を含み、さらに北部に広がる地域です。敢えてノヴォロシアという名称を出したということは、先祖が確保した土地は、我々のものだというむき出しの領土欲です。

「ソ連はなくなってしまった。過去は取り戻せない。そして、今日のロシアはそれを必要としないし、私たちはそれを目指していない。しかし、文化、信仰、伝統、言語によって自分たちをロシアの一部と考え、何世紀にもわたって一つの国家で暮らしてきた祖先を持つ何百万人もの人々の決意ほど強いものはない。この人たちの、本当の歴史的な故郷に帰ろうという決意ほど強いものはない」

かつての栄光よ、再び。ここにプーチン大統領の本音が見えています。

エカテリーナ二世はクリミア半島も併合

この演説に登場したエカテリーナ二世は、ピョートル大帝に続いてロシア帝国の領土の拡張を進めた人物です。

ロシア帝国の悲願である不凍港を求めて南下政策を進め、二度にわたってオスマン帝国と戦い、クリミア半島を併合しています。

プーチン大統領がクリミア半島に執着するのは、ここが敬愛するエカテリーナ二世が獲得した土地だからなのです。

ちなみにクリミア半島をめぐっては、1853年から56年にかけて、「クリミア戦争」も起きています。これは、南下政策を続けるロシアと、それを阻止しようとしたイギリス・フランスの戦いです。このときクリミアに派遣されたのがナイチンゲールです。彼女は「白衣の天使」などと称されていますが、実際は優れた統計学者で、戦場で負傷した兵士が入院中に衛生状態が悪いために死んでいく実情を知り、帰国後、従軍看護婦の必要性や病院内の衛生管理の重要性を、自ら集計した統計数字を根拠に説いて回り、病院内の環境改善に大きな役割を果たしました。

ロシアとイギリスの領土争い「グレートゲーム」

このようにロシア帝国は、まさに「ランドパワー」として領土を求めて南下していくことで、「シーパワー」のイギリスと衝突します。ロシア帝国はクリミア半島を獲得した後、黒海とカスピ海の間のカフカス地方も占領。さらに中央アジアに進出したため、インドを植民地にしていたイギリスが危機意識を持ちます。

これまでもロシアの南下政策を面白く思っていなかったイギリスは、インドを守るためにロシアとの緩衝地帯にあたるアフガニスタンに侵攻します。

このような西アジアから南アジアにかけてのイギリスとロシアによる領土と権益を求めての争いは、「グレートゲーム」と呼ばれました。まさに典型的な「地政学」の理論が描き出すような争いでした。

イギリスの侵略にアフガニスタンの人々は激しく抵抗し、イギリスは

ロシア帝国が占領したカフカス地方と
「グレートゲーム」の舞台となったアフガニスタン

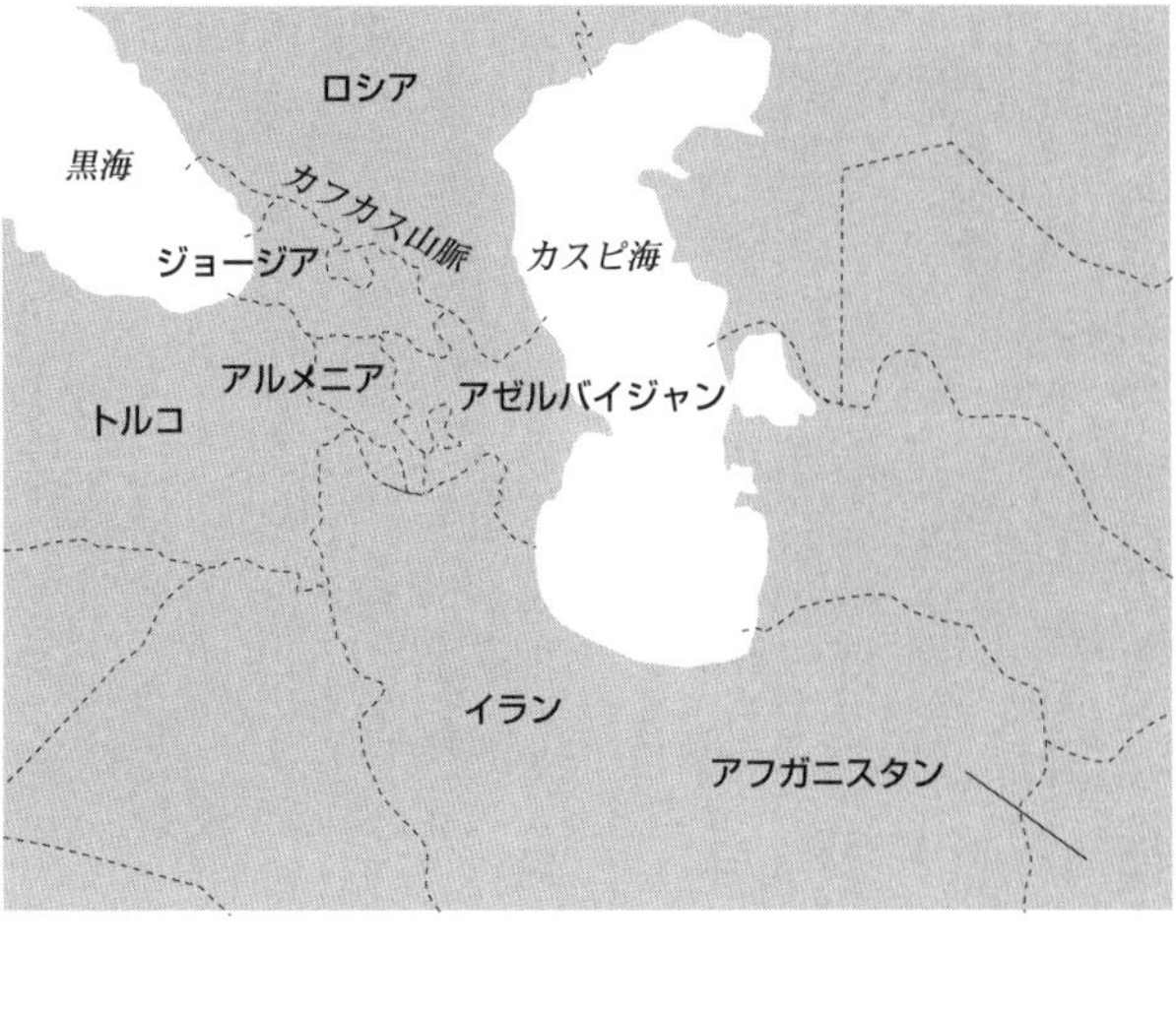

1838年と1878年、1919年の三度にわたって戦争をすることになります。

余談ですが、イギリスのコナン・ドイルによる探偵小説シャーロック・ホームズの『緋色《ひいろ》の研究』では、ホームズが軍医のワトソンを一目見るなりアフガン帰りであることを見破るシーンがあります。軍医のワトソンが疲れ果てているのを見て、「いまイギリス軍が苦戦している場所はアフガニスタンだからだ」というのが謎解きの根拠です。当時、イギリスがアフガニスタン戦争に苦戦していたことを物語っています。

インドを植民地にすることでランドパワーを獲得したイギリスですが、結局は苦戦をすることになったのです。

日本にとっても脅威に——日露戦争へ

一方、ロシアは北方、南方に続いて東方にも勢力を伸ばします。1860年には日本海に面したウラジオストーク港の建設を始め、シベリア鉄道を敷設。

さらに清との関係を深めながら朝鮮半島をうかがうまでになったことから、今度は日本にとって脅威となり、やがて日露戦争に発展します。

ロシアの動きを警戒していたイギリスは、1902年に日英同盟を結んで日本を支援します。日露戦争で日本軍はバルチック艦隊を破りますが、勝利の要因のひとつは、バルチック艦隊が、はるばるバルト海から日本海に来るまでの過程で、イギリスがバルチック艦隊の針路《しんろ》を逐一日本に知らせていたことです。これにより、日本軍はバルチック艦隊を日本海で迎え撃つことができたのです。

ソ連という実験——世界初の社会主義国

そのロシアで1917年、世界で最初の社会主義革命が起き、「ソビエト社会主義共和国連邦（通称ソ連）」が誕生します。

しかし、すぐに成立したわけではありません。当初は1918年に「ロシア・ソビエト連邦社会主義共和国」だけが誕生します。その後、1922年になって、ロシア連邦にウクライナと白ロシア（現在のベラルーシ）、ザカフカス・ソビエト連邦社会主義共和国（その後、ジョージア・アゼルバイジャン・アルメニアに分かれる）が加わって、長い名前のソビエトが生まれました。その後、さらに加盟国が増え、最終的に15の共和国の連邦となります。

　ソビエトとは、ロシア語で「評議会」という意味です。ロシア革命は、1905年の第一次と1917年の第二次がありました。1905年の第一次ロシア革命で、皇帝は民衆の要求を受け入れて「議会」の設立を承認しました。歴史に「もしも」はありませんが、皇帝がこの議会に権力を移行させ、それが民衆の代表機関に成長していけば、イギリスのような立憲君主制の国家になったかもしれません。しかし実際は皇帝の専制政治が続き、1917年の第二次ロシア革命につながります。

　このとき革命を指導したレーニンは、議会ではなく、労働者や農民、兵士による自主的な革命組織である評議会を軸に武力革命を達成。皇帝一族を殺害します。この評議会による国家というのがソビエトの国名の由来です。

内戦と周辺国の干渉に苦しむ

ロシア革命に際しては、革命に反対する勢力もあり、一時は内戦が勃発します。革命派は「赤軍」を組織しました。赤は共産主義のシンボルカラーで、つまりは共産軍。これに対抗する武装組織は赤に対して「白軍」と呼ばれました。

この内戦に世界各国が干渉します。イギリスやフランス、カナダ、アメリカ、イタリア、日本などです。これらの国々は白軍を支援したのです。資本主義各国は、社会主義革命に恐怖し、なんとか潰そうとしたというわけです。特に日本はシベリアへの野心を隠そうともせず、７万人もの陸軍兵士をシベリアに送り込みました。これが「シベリア出兵」です。

最終的に白軍は崩壊し、各国の干渉は終わりますが、アメリカがソ連を国家として承認したのは１９３３年になってからのことでした。国際連盟に加入が認められたのは翌１９３４年。ソ連が、世界各国から警戒されていたことがわかります。

ロシア革命をきっかけに、多くの人々がロシアから脱出して世界各地に亡命します。音楽家ではラフマニノフやストラヴィンスキーなどが有名です。

また日本へは洋菓子メーカーのモロゾフの創業者やプロ野球で活躍したスタルヒン、横綱大鵬の父親マルキャン・ボリシコなどが知られています。彼らは「白系ロシア人」と呼ばれました。「白軍系のロシア人」という意味です。大鵬の父親も白系ロシア人と呼ばれましたが、実はウクライナ人でした。

ロシア革命を阻止しようと資本主義諸国が軍事介入した。これが、革命後のソ連にとってのトラウマになります。周辺の国がいつ軍事介入するかわからない。ソ連発足以降のロシアの権力者にとっての恐怖心につながるのです。

「ドイツを撃ち破り、東欧を解放した」という誇り

いまのロシアのプーチン大統領にとって、第二次世界大戦でドイツの侵略と戦って勝利したソ連の歴史は大いなる誇りです。

ドイツで政権を掌握したヒトラーは、ポーランドばかりでなく東欧やバルカン半島を自国の「生存圏」と考え、次々に軍事侵攻していきます。さらにロシ

アを攻撃して共産主義勢力を絶滅させることを考えていました。

当初は「はじめに」で書いたように、日本の首相に「複雑怪奇」と言わしめた独ソ不可侵条約でしたが、1941年6月、ドイツは条約を破棄してソ連に侵攻します。国際条約は、条約を守る意思のある国同士の間でこそ有効なもの。「条約は結んだが、条約を守るとは約束していない」などと言い出しかねない国もあるのです。そもそもドイツに裏切られたソ連も、1945年になってからは日本との中立条約を破って満州に侵攻しています。

ドイツの侵攻に関しては、日本でソ連のためのスパイ活動をしていたドイツ人のゾルゲや、イギリスのチャーチル首相などが事前に警告を発していましたが、ソ連の独裁者スターリンは、情報を軽く見て、守りを固めていませんでした。そのため、ドイツ軍の大規模な侵攻に太刀打ちできず、緒戦《しょせん》で大敗北を喫します。

独ソ戦の舞台は、現在のウクライナ東部

ドイツ軍とソ連軍の大規模な戦車戦は、現在のウクライナ東部の平原地帯で展開されました。ここでソ連軍を破ったドイツ軍は、レニングラードやスターリングラードを包囲。ソ連軍に多大な犠牲が出ました。

このときスターリンは、かつてナポレオンの侵略を退けた1812年の「祖国戦争」になぞらえ、この戦いはファシストの侵略者を撃退し、ロシアを守るための「大祖国戦争」であると規定し、国民を鼓舞しました。

ウクライナに軍事侵攻して以来のプーチン大統領は、かつてのスターリングラード、現在のボルゴグラードで演説し、ウクライナの指導者を「ネオナチ」と非難しています。いまのウクライナを、かつてのナチス・ドイツと同列に扱い、「スターリングラード攻防戦のように戦おう」とロシア国民を鼓舞しているのです。

戦場となった場所のうち、レニングラードはプーチンの出生地。戦争時、プーチンはまだ生まれていませんでしたが、プーチンの兄は腸チフスで死亡し、

プーチンの母親も栄養失調で餓死寸前に追い詰められました。プーチンは、幼少期から、この悲劇を聞かされて育ったはずです。自国が強くなければならないと考えたでしょう。プーチンの個人的なトラウマになったのです。

ドイツによる侵略で、ソ連は兵士や民間人など約２６６０万人の犠牲を出しました。日本の太平洋戦争の犠牲者は約３１０万人ですから、ソ連の犠牲は群を抜いていました。

ソ連はこれだけの犠牲を払ってドイツ軍を撃退。さらに東欧諸国を次々にドイツ軍から解放し、遂にはドイツの首都ベルリンに突入。ドイツを降伏させたのはソ連の功績だという誇りを持っているのです。

日本では、ドイツ軍と戦ったのはアメリカ軍とイギリス軍というイメージが強いですが、実際は、ソ連の功績も大きいのです。

これだけの犠牲を払って東欧諸国を解放したソ連として、戦後は東欧を緩衝地帯として自国を守る盾にすることを考えます。こうして東西冷戦が始まるのです。

ソ連への憧れ生まれる

当時、日本も含め世界にはソ連を「社会主義の祖国」として理想化する人たちや政治勢力がありました。というのも、当初は目覚ましい経済発展を遂げたからです。

１９２９年、アメリカのニューヨーク証券取引所での株価の暴落をきっかけに世界恐慌が勃発します。ところがソ連は、社会主義路線でしたから、世界の資本主義市場とは無縁でした。このため世界恐慌の影響を受けることはなかったのです。

この様子を見た人たちの中から「恐慌は資本主義経済特有のもの。ソ連のような社会主義国は恐慌とは無縁となった。これこそ社会主義の優越性だ」と考える動きが出てきたのです。

ソ連への憧れのひとつとして、日本では「歌声喫茶」がブームになりました。アコーディオンの伴奏に合わせて、喫茶店の客たちがロシア民謡を合唱するのです。ロシア＝ソ連＝先進社会主義国というイメージがあったのです。

また、ソ連と直接の関係があるわけではありませんが、トルストイやドストエフスキー、チェーホフなどロシアの作家の作品がブームとなってよく読まれました。ロシアへの憧れであり、いまのロシア人も、こうした文学作品が世界から高く評価されることを誇りに思っているのです。

また、ソ連が1957年に世界最初の人工衛星「スプートニク」の打ち上げに成功したことは、ソ連の科学技術のレベルの高さを世界に見せつけました。ソ連を憧れの国家と見る人たちが増えたのです。

これがソ連の人たちの誇りであり、ソ連崩壊後の混乱の中で、多くの国民がソ連時代への郷愁を抱く理由です。

現実にはソ連の一般国民の生活レベルは低かったのですが、海外のジャーナリストによる自由な取材は認められず、国内の報道はソ連共産党がコントロールしてマイナスの情報が出ないように取り締まったため、ソ連の影の部分は、長らく知られないままでした。

ソ連、世界の民族解放運動を支援

一方でソ連は、自国の影響力を高めようと、世界各地の植民地で戦後高まった独立運動を支援します。アフリカでは「ソ連の支援で独立を勝ち取った」「ソ連の支援で経済が発展した」と受け止める新興国もあったのです。ソ連国内の国民の生活は苦しくても、影響力を高めるために支援する。いわば痩せ我慢をしていたのです。

たとえば南アフリカの人種隔離政策であるアパルトヘイト政策に反対する勢力を支援しました。アパルトヘイトが撤廃されて誕生した現在の黒人主体の政権は、旧ソ連への感謝の思いを持ち、ロシアのウクライナ侵攻に表立って反対していないのです。

東欧諸国は反発

その一方で、東欧諸国の国民の間ではソ連に対する嫌悪感が広がりました。ソ連による厳しい統制や圧力があったからです。

ソ連成立後、指導者だったレーニンが亡くなると、スターリンが独裁者として君臨し、少しでも命令に従わない者は容赦なく粛清《しゅくせい》（つまり処罰）したのです。猜疑心も強く、忠誠を誓っている部下でも粛清していきました。この威令《いれい》は東欧諸国にも及び、ソ連の忠実な〝弟〟たちであることが求められました。ソ連式の政治と経済の手法が押し付けられたのです。

当時の様子についての政治小噺があります。東ドイツの指導者が、晴れているのに傘をさしています。「どうして傘をさしているのかと聞かれると、モスクワは雨なんだと答えた」というものです。いかに東欧諸国がソ連にこびへつらっていたかがわかります。

しかし、スターリンの死後、１９５６年のソ連共産党大会でスターリン批判が行われると、「これでソ連の厳しい統制が緩むのではないか」と考えたハンガリーで、自由化に向けた動きが起きます。ところがスターリン亡き後のソ連も、多数の戦車をハンガリーに送り込んで武力弾圧。ハンガリー共産党の指導者は拘束され、やがて処刑されてしまいます。これが「ハンガリー動乱」（あるいは「ハンガリー事件」）です。ソ連の弾圧に反対して行動に出たハンガリー国民の多くもソ連軍によって殺害されました。

また1968年にも、今度はチェコスロバキア（現在はチェコとスロバキア）で民主化運動が起きると、ソ連は再び戦車で弾圧し、「プラハの春」と呼ばれた民主化運動は潰《つい》えます。ソ連が崩壊した後、東欧諸国が雪崩をうって西側諸国になびき、NATO（北大西洋条約機構）に加盟したのには、こういう苦くて暗い過去があったからです。

しかし、これがプーチン大統領にとっては、「NATOが東進してきた」という恐怖感につながるのです。

大国ソ連の崩壊

第二次世界大戦後、アメリカと対立して世界の大国になっていたソ連ですが、極めて効率の悪い社会主義体制によって、次第に国力が低下していきます。

1985年に新たにソ連共産党の書記長に選出されたミハイル・ゴルバチョフ

は、「ペレストロイカ」（ロシア語で立て直しの意）をキャッチフレーズに経済の活性化を図りますが、ことごとく失敗。その一方で、「新思考外交」の名の下に西側諸国との緊張緩和を進め、東西冷戦に終止符を打ちます。

このやり方に不満を持った共産党幹部によるクーデターが起きますが、失敗。これによりソ連の弱体化が進み、遂に1991年12月、ソ連は崩壊してしまいます。

その結果、ソ連崩壊前にソ連から独立を果たしていたバルト三国（エストニア、ラトビア、リトアニア）以外の12の共和国も独立を果たし、「独立国家共同体」（CIS）という緩い連合体を構成します。

ソ連崩壊後はロシアが後継国家となって国連の議席を継承し、ロシアのほか、ウクライナやベラルーシに分散配備されていた核兵器をロシアに集約しました。2023年3月になって、ロシアのプーチン大統領が、ベラルーシに核兵器を改めて配備すると表明したことから大きな騒動になりました。

〝現代版のソ連〟を目指す

ロシア連邦の大統領になったボリス・エリツィンは、経済体制を社会主義から資本主義に一気に転換したため、ロシア国内は大混乱に陥りました。

しかし、エリツィンからプーチンが政権を引き継いだ時点で、石油と天然ガスの価格が大幅に上昇。財政に余裕が生まれたロシア政府は、年金の支給金額の増額など社会保障に力を入れます。

これを受けて、地方の人々は、「プーチンのおかげでロシアは国力が高まり、我々の暮らしは楽になった」と受け止めます。これが、いまもプーチン大統領の支持率が高い理由なのです。

プーチン大統領は、ソ連時代、スパイ組織ＫＧＢに所属していました。ソ連崩壊後、ＫＧＢから改組されたＦＳＢ（連邦保安庁）のトップも務めていました。彼の下には、当時の部下たちが多数集められ、政権を支えています。ロシア国内でプーチン政権に批判的なジャーナリストが次々に殺害されたり、ロシアからイギリスに亡命したロシア人が殺害されたり不審死を遂げたりする事件の背後には、常にプーチン大統領の姿がちらついているのです。

プーチン大統領は、「ソ連崩壊は20世紀最大の地政学的悲劇」と呼びました。この言葉に、大国だったソ連の誇りを取り戻したいというプーチンの思いが象徴されています。

その後、プーチンは以下のような言葉も発しています。

「ソ連崩壊を惜しまない者には心がない。ソ連の復活を欲する者には頭がない」

ソ連が如何に偉大な国家であったかを忘れてはならないが、単純にソ連の復活を目指せばいいわけではないという意味です。要は、〝現代版のソ連〟が必要だということなのでしょう。

ロシア情勢を理解するきほん

- □ 初期のロシアは、ヨーロッパでは弱小勢力。ピョートル大帝が、近代化を進め、ロシア帝国の基礎を固めた。
- □ プーチン大統領が尊敬するピョートル大帝とエカテリーナ二世が獲得した領土が、今回のウクライナ侵攻の地域と重なっている。
- □ ロシア革命を阻止しようと資本主義諸国が軍事介入したことが、ソ連にとってトラウマになった。
- □ 第二次世界大戦で、ドイツ軍を撃退したのはソ連だという誇りを持っている。ソ連がドイツ軍から解放した東欧諸国を緩衝地帯とし、東西冷戦が始まった。
- □ 旧ソ連を構成していたウクライナが、NATOに入ろうとすることは、「アメリカの陰謀ではないか」との猜疑心につながった。

第4章 「人権がなにより大切」
揺らぐ移民大国フランス

フランス文化は、世界に冠たるものだ。
フランス革命は、世界の人々に人権の大切さを教え、
共産主義運動にも大きな影響を与えた。
ドイツの覇権主義に負けずに
ヨーロッパの秩序を守っているのだ。

ストライキが日常茶飯事

２０２３年3月、花の都パリの街にゴミの山ができました。政府の年金制度改革に反対するゴミ回収作業員の抗議ストライキが続いたためです。さらにゴミ焼却場の従業員もストライキに入ったため、ゴミ回収のメドが立たなくなり、観光客に人気のカフェの前の道路などにゴミが山積み。悪臭漂う状態となりました。

抗議デモも行われ、3月7日には１２８万人が参加したそうです（「朝日新聞」２０２３年3月16日朝刊）。

フランス政府の方針は、年金受給開始年齢を、現在の62歳から64歳に引き上げるというもの。日本でも年金受給開始年齢をめぐる議論はありますが、政府の方針に反対して労働組合がストライキに入るというのは、ちょっと考えられないのではないでしょうか。

街路にゴミが山積みになれば、日本だと「何をしているのだ」という批判が高まるでしょうが、ニュース専門局ＢＦＭＴＶの世論調査では、「63％がストやデモを支持し、年金改革を推し進める政府への反発は衰えていない。パリ市長を務める社会党のイダルゴ氏は年金改革への反対を公言し、市職員のストを支持している」（同紙）

市の職員がストライキをしているのを市長が支持する。これもまた日本では考えにくいことですが、これがフランスなのです。

フランスに行く予定のある人は、ぜひ余裕を持ったスケジュールで行くことをお勧めします。パリでは、バスや地下鉄が従業員のストライキで止まってしまうということが日常茶飯事だからです。これには多くの市民が迷惑でしょうに、表立っての批判や抗議はありません。市民の多くが、「次は自分たちがストライキをするかもしれないから」と思うからなのです。

自分たちに不利益なことがあれば、すぐにストライキやデモで抗議し、方針を変更させようとする。これがフランス人です。そこには、「自分たちはフランス革命で世の中を変えることに成功した」という成功体験があるからです。

他国の反政府活動家を受け入れる

　また、フランス革命で獲得した人権を大事にするのもフランスという国の特徴です。2022年2月にロシアがウクライナに軍事侵攻すると、翌月にロシア国営放送の女性職員が、生放送中のニュース番組で「戦争反対」の紙を掲げてプーチン大統領の方針に反対しました。

　この事件で女性職員が治安当局に逮捕されると、すぐにフランスのマクロン大統領が「フランスに亡命しないか」と連絡してきたそうです（本人談）。このときは断ったそうですが、当局の取り締まりが強くなり、裁判になったことから、彼女は亡命を決意。パリに事務局がある「国境なき記者団」に相談し、2022年10月になって密かに越境。フランスに亡命を果たしました。

　このように他国の活動家が、その国にいられなくなると、亡命を受け入れるというのがフランスの伝統なのです。

　たとえば1979年に発生したイラン革命。それまでの独裁政権を批判して国内にいられなくなっていたホメイニ師をフランスは受け入れていました。イラン国内で反政府暴動が拡大すると、ホメイニ師はエールフランス機で帰国。イラン革命を成功させました。

その後、ホメイニ師が進める革命のやり方に反対したことで国内にいられなくなった活動家についても、フランスは亡命を受け入れています。

こうしたフランスの姿勢から「フランスは世界の隠れ家」と評されることもあります。これも、フランス革命が築いた成果を大事にしようという姿勢なのです。

多くの人の憧れの国フランス

フランス、とくにパリは世界屈指の観光都市でもあります。2024年にはオリンピックも開催されます。

かつて詩人の萩原朔太郎は、1925年に出版した詩集『純情小曲集』の中で、「ふらんすへ行きたしと思へども　ふらんすはあまりに遠し」と詠嘆しました。

たしかに１９２５年の段階ではフランスは「あまりに遠し」だったでしょう。いまは直行便が飛ぶ時代になりました。「行きたし」と思えば行けるようになりました。

パリの空の下セーヌ川が流れ、ルーヴル美術館やオルセー美術館に人が集まり、ノートルダム大聖堂やエッフェル塔が町を見下ろす。多くの人にとって、華やかなイメージがあるフランス。そんなフランスは、どんな国なのでしょうか。

フランスをフランスたらしめているのは、「フランス語」と「人権」と「ライシテ（政教分離）」だと言われます。この３つの視点でフランスを見ていきましょう。

「日本の国語をフランス語にしたら」

第二次世界大戦に敗れて多くの日本国民が意気消沈していた１９４６年、作家の志賀直哉は、「日本の国語をフランス語にしたらどうか」という提案の文書を発表しました。

「私は此際、日本は思ひ切つて世界中で一番いい言語、一番美しい言語をとつて、その儘《まま》、国語に採用してはどうかと考へてゐる。それにはフランス語が最もいいのではないかと思ふ。六十年前に森有礼《ありのり》が考へた事を今こそ実現してはどんなものであらう。不徹底な改革よりもこれは間違ひのない事である。森有礼の時代には実現は困難であつたろうが、今ならば実現出来ない事ではない。反対の意見も色々あると思ふ。今の国語を完全なものに造りかへる事が出来ればそれに越した事はないが、それが出来ないとすれば、過去に執着せず、現在の吾々の感情を捨てて、百年二百年後の子孫の為めに、思ひ切つた事をする時だと思ふ。」(『資料 日本英学史2 英語教育論争史』)

ここで言及されている森有礼は政治家で、日本の言語を英語にしたらどうかと提起したことがあります。それに対し志賀直哉は、「日本の国語をフランス語にすべきだ」と主張したのです。

実は志賀直哉はフランス語ができませんでした。それでも「フランス語に」

と訴えたのは、彼なりにフランス語の音の響きの良さや、数多くの文学者を輩出していることを高く評価したからなのです。

フランス語を守る「アカデミー・フランセーズ」

フランス人はフランス語に誇りを持っています。よく日本人観光客がフランスで英語で話しかけたところ、相手が英語を知らないふりをしたというエピソードがあります。いきなり英語で話しかけてくるというのは、「英語が世界の共通語だ」と思っているからではないか。世界一美しい言葉はフランス語なのであり、誰でも英語を解すると思い込んでいるのは間違いだ。そう思っている人たちが、こういう反応をするのではないでしょうか。

私の場合は、まずは「ボンジュール」とフランス語で話しかけてから英語に切り替えると、相手も英語で対応してくれます。本当はフランス語で話しかけたいのだけれど、それができないので英語に切り替えます、と謙虚に接すれば、フランス人のプライドを傷つけないで済むのです。

フランス人が、断固として英語を使わないようにしていることについて、フランスで経済学を研究していた小田中《おだなか》直樹氏は、次のように記しています。

〈「コンピュータ」や「ソフトウェア」は英単語です。でも、日本ではそのまま片仮名で表記していることからも推測できるとおり、どちらもいまでは世界中で通用する共通語になっています。それを、わざわざ「オルディナトゥール」とか「ロジシエル」とかに翻訳するというのは、一体どういうことなのでしょうか。

コンピュータ関連の単語を中心として、フランスにも大量の英単語が流入しています。ところが、フランスでは、それらをフランス語に翻訳するという作業がつづいています。それをになう機関が「アカデミー・フランセーズ」です。アカデミーは、「コンピュータ」や「ソフトウェア」のみならず、「エレクトロニック・メール」や「データベース」も、むりやりフランス語に直しています〉（『フランス7つの謎』）

英語が世界を席捲《せっけん》することを面白くなく思っているフランス人は、断固としてフランス語を使い続けようとしているのです。

ちなみに「アカデミー・フランセーズ」（フランス学士院）は、１６３５年にブルボン朝のルイ13世の下で宰相《さいしょう》を務めていたリシュリューによって設立され、現在も続く学術の最高機関です。当初の目的は「フランス語を誰にでもわかる国語として純化させて統一する」というもので、定期的にフランス語の辞書を編纂して公刊しています。

日本も明治維新の頃は、国内に入ってくる外来語をひとつひとつ日本語に置き換えていました。たとえばエコノミーは「経済」、コンペティションは「競争」、フィロソフィーは「哲学」というように。しかし、もはや日本語に翻訳しようという動きはほとんどなく、英語をそのままカタカナで表記するばかりです。カタカナには、そういうことが可能になる機能がありますが、自国語を大切にしようとしているフランスの文化政策から学べることもあると思うのです。

「人権」を確立したフランス革命

フランス人が大切にする「人権」の意識が確立することになったのは、1789年に起きたフランス革命です。当時の日本は、まだ江戸時代。その頃にフランスでは革命が起きていたのです。フランス革命については高校の世界史で必ず習う話ですから、ここでは簡単におさらいしておくだけにしましょう。

当時のフランスは封建的な身分社会で、現代では「アンシャン＝レジーム」（旧制度）と呼ばれます。第一身分（聖職者）や第二身分（貴族）が特権的な立場にいて、人口の大部分を占めていた第三身分（市民）は抑圧され、不自由な立場に置かれていました。

それでも18世紀に入ると、都市部の第三身分の人たちの中で経済的に成功し、社会的影響力を持つ人たちが出始めます。「ブルジョワ」と呼ばれる商工業者たちです。彼らは次第に人権や自由について考えるようになります。当時のパリではカフェ文化が花開いていました。カフェには新聞や書籍が置かれ、コーヒーを注文した人は自由に読めるようになっていました。新聞を読み、ニュースを知って政治について議論する知識人たちが生まれます。彼らがフランス革命を主導することになります。

当時の宮廷は財政状態が悪化し、国王のルイ16世は全国三部会（第一、第二、第三身分の代表が集まる議会）を招集して事態の打開を図ろうとしますが、これがかえって混乱を引き起こし、革命の舞台に転化します。第三身分の代表は、自分たちこそが国民の代表だとして「国民議会」の開催を宣言したのです。

このとき議長席から見て右側には国王の権威を守るべきだと考える人たちが座り、左側には国王の権威を認めない人たちが座りました。これが右翼と左翼の語源になります。右翼が保守、左翼が革新の代名詞になったのです。

市民が立ち上がった「バスティーユ牢獄襲撃事件」

この混乱の中で、歴史に名高いバスティーユ牢獄襲撃事件が発生します。ここには武器の収納庫があり、市民は武器を奪って立ち上がりました。

また、当時のヨーロッパでは、アイスランドのラキ火山の大噴火で噴煙が上空を覆い、農業に多大の被害を与え、食料不足が深刻になっていました。こうした不満が革命に発展したのです。

国民議会は1789年8月、第一身分や第二身分が持っていた免税などの封建的特権の廃止を決議し、「人権宣言」を発表します。

この中で、国民は生まれながらにして自由で平等であり、主権は国民にあること、法律によらなければ罰せられることはないこと、私有財産の不可侵など、現代でも十分通用する内容が宣言されています。

これが、「自由・平等・博愛（友愛）」というスローガンとして確立します。役人に対しては行政情報の公開を求める権利も明記しています。いまの日本の官公庁に求められる内容が、既にこのときに宣言されているのです。

この人権宣言が世界に与えた影響は大きく、第二次世界大戦後に成立した国連（国際連合）の「世界人権宣言」に受け継がれています。

これが、フランス人にとっての大きな誇りなのです。

ナポレオンがクーデターで権力を掌握

その後、１７９３年にはルイ16世がギロチンにかけられて処刑されるなど、革命は暴走を始めます。これに対し、政治の安定を望む保守的な農民や都市部のブルジョワの支持を得た軍人のナポレオン・ボナパルトが登場し、１７９９年にはクーデターで権力を掌握し、１８０４年に皇帝に即位します。

フランスは豊かな国土に恵まれ、たびたび周辺からの侵略の危機に陥ります。特に海峡を挟んだイギリスと対立しますが、島国イギリスは「シーパワー」を持った国として海戦でフランスを打ち破ります。

これ以降フランスは、ヨーロッパ大国の「ランドパワー」を発揮して周辺への侵略を繰り返し巨大な版図《はんと》を築きます。

このときナポレオンはイギリスの国力を弱めようと、「大陸封鎖令」を発しました。大陸の諸国に対し、イギリスと貿易しないように求めたのです。ここでもランドパワーとシーパワーの対決です。

ナポレオン、ロシアの「冬将軍」に負ける

ところが1810年にロシアが大陸封鎖令を破ってイギリスとの貿易を再開すると、怒ったナポレオンは1812年、総勢60万の大軍でロシアに侵攻します。まさにランドパワーの発露です。

これに対し、ロシア軍は、フランス軍との正面対決を避けて後退。フランス軍の進路にある地域の物資や食料を焼き払うという焦土戦術でフランス軍を疲弊させる作戦に出ました。ランドパワーの点で、ロシアの方が一枚上手でした。

このためフランス軍は、モスクワまでの侵攻に成功したものの、物資不足に苦しみ、さらにはロシアの冬の寒さのために大きな損害を出して撤退を余儀なくされます。このときフランス軍はロシアの冬の寒さに負けたという意味で「冬将軍に負けた」と言われるようになります。日本に寒波がやってくるときに天気予報で「冬将軍がやって来る」と言うのは、このときの故事が由来です。

ウクライナの誇りコサックが追撃

フランス軍が撤退を始めると、コサックが追撃。フランス軍は壊滅的な損害を被ります。ちなみにコサックとは、南ロシアでロシア帝国の守りについていた武装騎馬兵のことで、彼らは半農半牧の生活をしていました。現在のウクライナ地方にもコサックがいました。コサックはロシア革命の際に革命反対の立場からソ連の成立に反対したこともあり、現在のウクライナ国歌の歌詞に「我々がコサックの子孫であることを示そう」と謳われ、ウクライナの人たちの誇りとなっています。

このときロシアは、対ナポレオン戦争を「祖国戦争」と呼びました。ロシアという祖国を守った戦争だというわけです。

この戦争はロシアの人たちの記憶に刻み込まれています。「いつ他国の侵略を受けるかもしれない」というトラウマになるのです。

１９４１年、ナチス・ドイツがソ連に軍事侵攻すると、当時のソ連の指導者スターリンは、ドイツとの戦いを「大祖国戦争」と称し、人々にナポレオンの侵略と戦った記憶を呼び起こしたのです。

敗戦をきっかけに失脚したナポレオンは、一時は復活して政権を奪取しますが、結局、失敗。南大西洋のセントヘレナ島に幽閉されて死去。遺体はパリに戻り、現在はパリの旧「廃兵院《はいへいいん》」に葬られています。

共産主義思想に影響を与えたパリ・コミューン

フランス革命は、世界の人権思想に大きな影響を与えましたが、フランスではもうひとつ、世界の共産主義運動に影響を与えた出来事がありました。それが1871年に起きた「パリ・コミューン」です。

このときフランスの皇帝はナポレオン3世。ナポレオン1世の甥（弟の息子）で、選挙で大統領に当選した後、クーデターで皇帝となります。1世と同じく各地に軍事侵攻しますが、1871年、普仏戦争（現在のドイツの原型となったプロイセンとの戦争）に敗れ、退位します。

プロイセンの命を受けてフランスに臨時政府が誕生すると、これに反対するパリ市民が3月に蜂起。世界で最初の労働者の政権を樹立します。労働者たちは選挙を実施して議会を発足させ、労働者の代表による政治を開始します。パリ市庁舎の前には共産主義のシンボルの巨大な赤旗が掲げられました。

「コミューン」とは「共同体」「自治体」の意味ですが、ここでは革命的な共同体という意味になります。一般に考えられる三権分立ではなく、労働者から選出された代表が法律を制定して実行する行動体となりました。

コミューン自体は、臨時政府の反撃やプロイセン軍の包囲によって、わずか72日間で崩壊しますが、この間、義務教育の無償化、言論と集会の自由、労働組合の組織化などの結社の自由、婦人参政権の確立、信教の自由と政教分離の徹底、生活困窮者を対象にした生活保護制度の整備や常備軍の廃止などが進められました。

ここに掲げられた多数の目標は、パリ・コミューンの崩壊によりいったんは消滅しますが、やがて各国で実現することになります。

それを考えると、いかに先進的な取り組みであったかがわかります。

マルクスや鄧小平も影響を受けた

当時、革命家のカール・マルクスもパリに滞在していて、市民の自発的な行動や理想主義的な施策の数々を目撃しました。彼の中で、パリ・コミューンのような形態・政治体制が理想の社会主義であると考えたようです。しかし、その後、実際にロシアで社会主義革命が起きると、指導者のレーニンやスターリンは、国家権力によって国民を統制するという、マルクスが考えた理想とはかけ離れた方針を取っていくことになります。

それはともかく、フランス革命とパリ・コミューンの運動は、フランスに共産主義運動を根付かせ、やがてパリで生活した中国の鄧小平《ドンシャオピン》やベトナムのホー・チ・ミン、カンボジアのポル・ポトらが共産主義に魅せられ、祖国に帰って共産主義運動を展開していくことになります。ここでもフランスは世界を変えたのです。

若者たちの革命運動「パリ五月革命」

フランスの人権意識の高さは、ときに若者たちによる革命運動に発展します。それが１９６８年に起きた「パリ五月革命」です。

１９６０年代は、先進各国で経済が急激に発展することで社会の格差が顕在化します。その一方、戦後のベビーブームで生まれた若者たちが大学に進学するようになると、急造された大学施設は貧弱で、大学の大衆化に対応できませんでした。

当時はアメリカ軍によるベトナム戦争も激化し、ベトナムの人たちの悲惨な戦争被害のニュース映像がお茶の間に飛び込んできました。かくしてフランスやドイツ、アメリカ、日本などで改革を求めた大学生たちが立ち上がります。

彼らは「議会を通じた革命」を追求する旧来の伝統的な共産党の運動を批判し、直接行動によって革命を成し遂げようと考え、「新左翼」と呼ばれました。

学生たちはパリの学生街のカルチェ・ラタン（文化地区）と呼ばれる地区にバリケードを築いて「解放区」を作り出し、警官隊と激しい衝突を繰り返しました。

このとき日本でも、当時、中央大学や明治大学、日本大学、専修大学などがあった神田地区で学生たちが機動隊と衝突を繰り返し、「日本のカルチェ・ラタン」と称されました。

結局、フランスでは学生たちの過激な行動が地方の保守的な人々の顰蹙《ひんしゅく》を買って、保守政党が選挙で圧勝。革命は潰《つい》えます。

パリ五月革命は女性の地位向上をもたらした

しかし、このとき学生運動に集まった若者たちは、その後のフランスの文化を大きく変えていきます。それまでフランスの女性たちは、「おしとやかで夫に尽くさなければならない」「女性はスカートをはかなければならない」「正式な結婚をするまでは未婚の男女が同棲することは許されない」という意識を持っていたのですが、これを機に劇的に変化。活発で自己表現が強く、自由な生き方をしているという、いまのフランス女性のイメージが形作られていきます。

私は当時活動家だった男性にフランスでインタビューしたことがあります。彼は、女性たちが大きく意識を変えることになった出来事だったと述懐していました。

当時のフランスの女性たちが、どのような意識だったかを描く映画が『5月の花嫁学校』です。当時のフランスには各地に「花嫁学校」が存在し、良き妻になるべく教育をしていましたが、五月革命をきっかけに女性たちの意識と行動が変化していく様子がコミカルに描かれています。

フランス革命の成果である「ライシテ（政教分離）」

2004年、フランス社会を揺るがす事件が起きました。公立の小中高校でイスラム教徒の女性がかぶるスカーフ（ヒジャブ）が着用できなくなったのです。脱ぐことを拒否した女性は校内への立ち入りができないという徹底ぶりでした。これは、フランスという国家を特徴づける重要な柱「ライシテ（政教分離）」を象徴する出来事でした。

フランスはカトリック教徒が多いことで知られています。歴史的にカトリック教会が大きな権力を持っていましたが、フランス革命で教会の権威と権益が否定されます。

それでもフランス革命末期の1801年にナポレオンはローマ教皇と「宗教的和約」（コンコルダート）を結び、いったんはカトリックとの提携に戻りました。しかし、社会主義勢力の伸長と共に「政教分離を徹底すべきだ」という政治勢力が大きな影響力を持ち、1905年、政教分離法が成立します。

これは、宗教を否定するものではありません。公的な分野で宗教色を排除することで、私的分野での信教の自由を保障しようというものでした。

いまのフランス国民にとって、ライシテは、カトリックと結びついた王制を倒したフランス革命の成果なのです。

しかし、イスラム世界からの移民が増えると、新たな問題が起きるようになりました。それがスカーフの着用問題です。スカーフはイスラム教のシンボルであり、政教分離であるべき公立の学校では着用が認められないというものでした。

これは一見、イスラム教徒に対する抑圧に見えて、「イスラム差別だ」という声も上がったのですが、実は公立学校にはキリスト教のシンボルのロザリオ（カトリック教徒が祈りのときに用いる数珠状のもの）を身に着けて登校することも認められていないのです。

さらにアフガニスタンからの移民や難民が増えてくると、女性たちが着るブルカが問題になりました。ブルカは、全身を覆うばかりでなく、顔も隠してしまいます。これではテロリストなどが顔を隠して歩き回れるという批判が出て、２０１０年には通称「ブルカ禁止法」（公共空間で顔を隠すことを禁止する法律）が制定されました。

「移民大国」フランス

このようにイスラム教徒の服装をめぐって議論になる背景には、「移民大国」であることが大きな要因です。

2022年12月、サッカーのワールドカップの準決勝は、フランス対モロッコでした。2対0でフランスが勝ちましたが、パリは多数の警察官が出て厳戒態勢となりました。フランスにはモロッコ出身者が多数住んでいるため、試合の帰趨《きすう》によっては暴動が起きるかもしれないと考えられたからです。

実際にはモロッコ系の人たちも静かに結果を受け入れました。フランスは二重国籍を認めているため、フランスに暮らすモロッコ人たちは、モロッコ国籍であると共にフランス国籍でもあったからです。どちらが勝利しても、「我が国の勝利」なのです。

サッカーのワールドカップのフランス代表チームの顔ぶれを見ると、アフリカ系や中東出身者が目立ちます。フランスが中東やアフリカを植民地支配していた時代に、大勢の移民が入ってきたためです。

そもそもフランスという国は移民によって作られた国という要素もあります。過去にサルコジ大統領はハンガリー系移民の子でしたし、オランド大統領は名前の通りオランダからの移民の子孫でした。

フランスの国立統計経済研究所によれば、いわゆる移民一世（外国で生まれ、出生時にフランス国籍を持っていなかった人）は、2015年時点で750万人。全人口の約11％を占めます。

さらに移民二世（片親もしくは両親が移民）は約850万人。移民一世と合わせると約1600万人で、全人口の約4分の1を占めています。

19世紀半ばから移民を積極的に受け入れた

フランスが移民を積極的に受け入れるようになったのは、19世紀半ばからです。この頃からフランスでは出生率が低下し、労働力不足が顕在化します。さらに第二次世界大戦後の高度経済成長時代を迎えると、安価で大量の労働力が必要とされ、炭鉱や自動車産業の労働者としてスペインやポルトガル、アルジェリアなどから大量の移民を受け入れました。

しかし、1974年になると、オイルショックによる経済の不況が深刻になり、失業率が高まったことで、いったん移民の受け入れを停止しますが、

2000年代になると、再び労働者不足が深刻になり、フランス政府は再び移民を積極的に受け入れるようになります。

フランスに定住した移民たちは、家族の呼び寄せが認められたことから、移民が多数入ってくることになりました。

19世紀半ばに入って来た移民の多くは同じヨーロッパ出身者が多かったのですが、20世紀後半になると、旧植民地のモロッコやアルジェリアが上位を占めるようになります。結果、私たちがパリを訪れると、「ここはどこの国?」と戸惑うような人種構成になっています。

イスラムめぐり社会的摩擦も

移民の多くはフランス語が十分に話せず、単純労働の低賃金の仕事に従事することになり、不満が高まります。

一方で、失業者も多く、その人たちの生活保護のために税金が使われることに不満を持つフランス国民もいます。

とりわけ最近の移民にはイスラム教徒が多く、フランス社会の中で摩擦が起きることも多く、「移民排斥」を主張する政治勢力の伸長が目立っています。

この事態の象徴が、２０２２年4月に実施された大統領選挙です。フランスの大統領選挙は、第一回の投票で過半数を獲得した候補がいない場合は上位二名による決選投票をすることになっています。これは、「大統領が国民の多数の支持を得て当選した」という形を作るためです。

たとえば第一回の投票で最多得票数を得た人の得票率が４割だった場合、「国民の6割の支持を得ていない」ということになります。決選投票をすれば、どちらかの候補の得票率は5割を超えますから、「過半数の国民の支持がある」と言えるというわけです。

このときの決戦投票で、現職のエマニュエル・マクロン大統領が極右の国民連合のマリーヌ・ルペン候補を下し、再選を決めました。得票率はマクロン大統領が58・54%、ルペン候補が41・46%でした。

ルペン候補は移民や難民の受け入れに反対し、「フランスの伝統を守れ」と主張し、過去には泡沫候補扱いされたこともあるのですが、２０１７年の決選投票にも残り、フランス国内での支持の急増ぶりが大きなニュースになりました。このときの得票率はマクロン66・１％対ルペン33・９％でしたから、差が大きく縮まっています。

人権を大切に考え、多くの移民を受け入れてきたフランスが、いま大きく揺らいでいるのです。

フランス情勢を理解するきほん

- □ フランスをフランスたらしめているのは、「フランス語」と「人権」と「ライシテ（政教分離）」。
- □ 自分たちに不利益なことがあれば、すぐにストライキやデモで抗議し、方針を変更させようとする。そこには、「自分たちはフランス革命で世の中を変えることに成功した」という成功体験がある。
- □ フランス革命は世界の人権思想に、パリ・コミューンは世界の共産主義運動に大きな影響を与えた。パリで生活した鄧小平やホー・チ・ミン、ポル・ポトらは、祖国に帰って共産主義運動を展開した。
- □ 19世紀半ばにフランスに来た移民はヨーロッパ出身者が多かったが、20世紀後半になると、旧植民地のモロッコやアルジェリアが上位を占めるようになり、フランスは「移民大国」になった。

第5章

「我が国はヨーロッパではない」

新しい同盟関係を模索するイギリス

我が国はヨーロッパなどではない。
大英帝国が世界を文明化したのだ。
世界の共通語をつくったのはイングランドだ。

世界の注目を受けた「戴冠式《たいかんしき》」

２０２３年5月6日、イギリスのチャールズ国王の戴冠式が行われました。日本時間で土曜の夜。私はテレビの中継特番を担当しましたが、驚異の視聴率を獲得しました。みんな関心があるのですね。

チャールズ国王をめぐっては、王妃や子どもをめぐる数々の話題やスキャンダルが取り上げられます。王室とはいえ、一般国民の家庭とも共通する悩みがあることが、注目を受ける理由でもあるのでしょう。

そうはいっても、ロンドンのウェストミンスター寺院で行われた式は厳粛で、長い歴史を感じさせました。これぞかつての「大英帝国」という印象を世界に与えたのではないでしょうか。

いまでこそイギリスは、ＥＵ（欧州連合）を離脱し、経済的に苦しい状況に追い込まれていますが、かつては「太陽の沈まぬ国」と評されたこともありました。世界中に植民地を擁し、本国が夜になり太陽が沈んでも、地球上のどこかの領土では太陽が出ている状況を称する言葉。それだけの大帝国だったことを意味しています。その結果、世界各地で英語が使われるようになり、いまや英語が「世界の共通語」のような存在になっています。

実はいまもイギリスは世界各地に領土を持っています。太平洋ではピトケアン諸島、インド洋ではイギリス領インド洋地域、カリブ海ではケイマン諸島などです。

ＥＵから離脱したイギリスはＴＰＰに加盟を申請しました。ＴＰＰとは「環太平洋経済連携協定」で、太平洋をめぐる国々の集まりです。ここにイギリスが加盟することに違和感を抱いた人もいるでしょう。しかし、実は太平洋にあるピトケアン諸島はイギリス領なので、「イギリスも太平洋を取り巻く国家だ」と言えないこともありません。実際にはＴＰＰの前文には、「加盟国から承認を受ければ、どこの国も参加できる」と明示されているのですが。

イギリスの国王が国家元首の国々

オリンピックの入場行進などで世界各国の旗を見ると、国旗の左上にイギリ

図4 イギリスとオーストラリアの国旗

左がイギリスの国旗(ユニオンジャック)
右がオーストラリアの国旗、
左上にユニオンジャックが配されている。

スの国旗であるユニオンジャックが描かれているものがあります。こうした国々は、いずれもかつてイギリスの植民地だったところ。独立して建前としてはイギリスと対等な立場になっていますが、イギリスの国王を国家元首としている「英連邦王国」です。カナダは国旗にユニオンジャックは入っていませんが、やはり英連邦王国に属しています。全部で15か国です。

たとえばチャールズ国王は、オーストラリアにおいては「オーストラリア国王」、ニュージーランドでは「ニュージーランド国王」になるのです。ただし、政治的な力はなく、「君臨すれど統治せず」と称されます。

ただ、気をつけないといけないのは、「英連邦王国」とは似た名前の「英連邦」（コモンウェルス・オブ・ネーションズ）がありますが、両者は異なるものだということです。

「英連邦」は、インドや南アフリカ、マレーシアなど大統領がいる国や国王がいる国など多様ですが、イギリスを中心にまとまった「仲良し」グループで、現在は56か国が加盟しています。国連の加盟国が１９３か国ですから、４分の１以上が英連邦の加盟国です。二年に一度、首脳会議が開かれています。英連邦の加盟国のうち、イギリスの国王を国家元首としている15か国だけが英連邦王国なのです。

英連邦王国の国家元首はイギリスの国王ですから、議会の開会式などのイベントには国家元首の出席が必要となります。そこで国王の名代《みょうだい》として各国にいるのが「総督」です。各国で国王に次ぐ序列です。かつてはイギリス本国から総督が派遣されていましたが、現在では、それぞれの国の首相や内閣が推薦した人物が国王から任命されています。たとえばカナダの総督はカナダの首相が指名し、イギリスの国王が任命することになっています。

カナダの総督は、以前は白人男性が代々務めてきましたが、近年は女性やアジア系、アフリカ系など多様な人たちが任命されています。現在のカナダの総督はメアリー・サイモンという女性で、長らく外交官を務めていましたが、カナダ史上初の先住民族（イヌイット）です。

イギリスは連合王国

私が英語を習いたての60年前の中学時代、イギリスのことを英語でイングランドと言うのだと思っていたら、そうではないと言われて戸惑ったことがあります。イングランドとは、イギリスの一地方のことだと言われても、ピンときませんでした。

でも、サッカーのワールドカップでは英国代表というのが存在しません。イングランドやスコットランド代表チームなのですね。これはサッカーとラグビーの国際大会が開かれる前からイギリスでは、それぞれの競技組織が誕生していたからです。イングランド代表が出場してもスコットランドの人は応援しないなど、仲の悪いことも知るようになって驚きました。

私たちがイギリスと呼ぶ国は、イングランド、スコットランド、ウェールズ、北アイルランドの四つの地方の連合体です。

では、イギリスのことは何と呼ぶのか。UK（ユナイテッド・キングダム）＝連合王国ですね。イギリス人のことはイングリッシュではなくてブリティッシュと呼びます。「イギリスの」という形容詞もブリティッシュ。イギリスの国際文化交流機関は「ブリティッシュ・カウンシル」です。ブリティッシュ＝ブリテン島の人という意味です。イギリスの正式名称が「グレートブリテン及び北アイルランド連合王国」だからです。

でも、北アイルランドの人がいるのにブリティッシュと呼んだら、北アイルランドの人が怒らないのでしょうか。という問題は、イギリス本国でも提起されていて、論争になっているそうです。

とはいえ、自動車のナンバープレートは、EU（欧州連合）基準で国名の略称が決められていて、GBとなっています。これも「グレートブリテン」の頭文字です。EUを離脱しても、これが使われています。

なぜ日本ではイギリスと呼ぶのか

日本でイギリスと呼ぶようになったのは、ポルトガル語やオランダ語でのイングランドの読み方が輸入されたからです。江戸時代には、その読み方がなまってエゲレスなどと呼ばれていました。当時はイングランドが強い力を持っていたからです。

また、中国語でイギリスを「英吉利」と表記していたので、略して「英国」と呼ぶようになりました。

イギリスが、このような連合国家であることは、国旗からもわかります。イギリスの国旗は、イングランドとスコットランドの国旗、北アイルランドを表す旗が組み合わさっているからです。なぜウェールズの旗が含まれていないかといえば、ウェールズがイングランドに吸収されたのは13世紀と古く、すっかり同化していたためです。１７０７年にイングランドとスコットランドが合併して新国旗を作る際、「ウェールズも入れて！」という話にならなかったからです。

アイルランド島は、かつてはイギリス領でしたが、独立運動が続き、南部は１９４９年に独立を果たしました。それがアイルランド共和国です。しかし北部はイギリス領だった時代にグレートブリテン島から多数のプロテスタントが移住してきたことで、カトリック教徒が多数のアイルランドが独立する際にイギリスに留まることになりました。これが、現代にも続く「北アイルランド問題」になります。これについては、後で取り上げます。

ヘンリー8世の領土拡大

「地政学」の観点から見ると、イギリスは典型的な「シーパワー」の国です。16世紀、当時のイングランドの国王であったヘンリー8世は、強欲とも言うべき領土拡張欲を見せ、スコットランドやアイルランドを手中に収めていきます。

こうしてグレートブリテン島とアイルランド島を支配したイギリスは、島国に留まることに満足せず、「帝国」として世界に進出していきます。全盛期には全世界の陸地の4分の1を収める史上最大の面積を誇る帝国となりました。アメリカもインドも中東各地やアフリカ諸国も植民地にしていきます。

イギリス人の中には、植民地を文明化したり、イギリス式の民主主義を定着させたりしたという誇りを密かに持っている人もいます。誇りというよりは驕りだろうと思ってしまいますが、これもイギリスという国の一断面です。

しかし、第二次世界大戦で、イギリスは戦勝国となったものの、多大な犠牲を払い、国力が低下。さらに植民地が独立することを容認した結果、超大国の座をアメリカに譲ることになりました。

それでも世界に植民地を獲得していた結果、イギリスには旧植民地出身者が多数暮らしています。肌の色もさまざまで、宗教も異なる多様な社会となっています。とりわけインド人街やパキスタン人街は有名ですし、チャイナタウンもあります。

イギリスの首相はインド系

その結果、2022年には遂にイギリスの首相が初めてインド系となりました。2022年10月に首相に就任したリシ・スナク氏は、就任当時42歳で、ヒンズー教徒。老大国に若き首相の誕生です。スナク氏といえば、2023年5月に広島で開かれたG7サミットに参加した際、岸田文雄首相との食事会で広島カープの靴下を履いて登場し、広島の人たちの心を摑みました。

このときは靴下でしたが、実は彼は「プラダを履いた首相」と称されています。映画「プラダを着た悪魔」になぞらえた表現です。プラダの靴を履くほど大金持ちで知られています。

スナク首相の資産は日本円にして約340億円。妻の資産は約2043億円。夫婦の資産を合わせると2383億円で、チャールズ国王の総資産の倍はあるというのです。

スナク首相の父親は医師で母親は薬剤師。祖父はインド人。１９９０年代に東アフリカからイギリスに移住したインド系の両親のもとで生まれました。

妻はＩＴ企業インフォシスを創業したインドの大実業家の娘で、父は「インドのビル・ゲイツ」と呼ばれています。父の会社の株を持っているので、これだけの富豪なのです。

一方、スナク氏も大学卒業後、投資会社ゴールドマン・サックスに就職し、その後、ヘッジファンドを経営して巨万の富を築きました。

スナク首相は投資銀行などでの勤務経験があるのでイギリス経済を立て直してくれるのではないかと期待する声もある一方で、こんな億万長者に庶民の生活はわかるのか、という批判があるのも事実です。

ロンドンの市長はパキスタン系

イギリスの首相がインド系なら首都ロンドンの市長はパキスタン系のサディク・アマーン・カーン氏です。２０１６年の市長就任時は46歳でした。ＥＵ加盟国（当時）の首都の市長としては初のイスラム教徒です。

カーン氏はロンドンのパキスタン系イギリス人の労働者階級の家庭に生まれ、ノース・ロンドン大学（現ロンドン・メトロポリタン大学）で法学の学位を取得。人権派弁護士として活動し、2005年に下院議員となった後、2016年にロンドン市長に当選しています。

再選を目指していた2020年のロンドン市長選挙は新型コロナウイルス感染症の拡大で選挙が1年延期され、2021年5月の選挙で辛勝《しんしょう》しています。

世界の中心はイギリス

日本で主に使われている世界地図は日本が中心になっていますが、世界標準はイギリスが中心になっています。その結果、日本を含む東アジアは「極東」と呼ばれてしまいます。イギリスから見て東はインド、それよりもっと東にある地域は極東、それほど東ではない地域は中東というわけです。

このようなイギリス中心の世界地図が作成されたのは、子午線（経度の基線）が、イギリスのグリニッジ天文台を通ると定められているからです。

きっかけは、1763年にイギリスのグリニッジ天文台の台長で天文学者のネヴィル・マスケリンが出版した『英国航海者ガイド』です。このガイドで、イギリスのグリニッジ天文台を基線として経度を定めたことで、世界のどこにいても、緯度と経度によって現在地を確認できるようになったのです。

緯度は、赤道を基線にして北は「北緯」、南は「南緯」となりますから、世界共通にするのは容易でしたが、経度となると、地球上のどこを基線にしても「東経」と「西経」を定めることが可能でした。それが、このガイドによってイギリス中心のグローバルスタンダードの地図ができたのです。

このガイドが出版されるまで海上を航行中の船は、現在地を知るのが困難で、たびたび海難事故につながっていました。このガイドが出たことで、ヨーロッパ各国の海軍や商船が使用するようになったのです。

その結果、1884年に国際子午線会議が開かれ、グリニッジ天文台を地球の経度の基点とすることが決まったのです。

また、同じような理由で世界標準時を定める必要もあったため、この子午線を基線に世界の時間が決まることになったのです（「ナショナル・ジオグラフィック」電子版2013年5月29日）。

イギリスは、いまも「情報大国」

大英帝国だった時代、イギリスにとって世界各地の情勢をいち早く収集することは必須でした。日本は日露戦争の時代、日英同盟を組んで、ロシアに関する情報をイギリスから得ていました。ロシア海軍のバルチック艦隊が極東に派遣されたときも、イギリスはバルチック艦隊の進路を逐一日本に伝えていたことは第3章でも触れたとおりです。日本海海戦で日本海軍がバルチック艦隊を撃破できたのも、事前にイギリスから情報を得て、待ち構えることができたのが大きかったのです。

日英同盟は1923年に失効し、日本は日中戦争や太平洋戦争でイギリスを敵に回し、苦戦することになります。

2022年2月にロシアがウクライナに軍事侵攻した後、イギリス国防省は、戦況を随時発表しています。それができるのも、イギリスの情報収集能力が優れているからです。相対的に衰退したとはいえ、いまもイギリスは情報大国なのです。

機密情報を共有する「ファイブ・アイズ」

イギリスには「政府通信本部」という諜報《ちょうほう》機関があります。これは多数のパラボラアンテナで各国の無線交信を傍聴（盗聴）したり、通信回線をハッキングしたりして、極秘情報を収集しているからです。

こうして収集した情報は、アメリカのNSA（国家安全保障局）に送られます。NSAも日本をはじめ世界各地で盗聴をしているからです。さらにカナダ、オーストラリア、ニュージーランドも同様に得た情報をNSAに送り、NSAが情報を整理した上で各国に打ち返しています。この5か国は、いずれもイギリスとその植民地だったアングロサクソンの国々。「ファイブ・アイズ」（5つの眼）と呼ばれています。

また「ＡＵＫＵＳ（オーカス）」と呼ばれる軍事同盟があります。Ａ（オーストラリア）、ＵＫ（イギリス）、ＵＳ（アメリカ）をつなげたものです。

イギリスの場合、政府通信本部は無線情報を収集しますが、それとは別に「ヒューミント」と呼ばれる人間による諜報活動も有名です。それが通称ＭＩ６です。正式には「秘密情報部」。イアン・フレミングのスパイ小説００７シリーズで出てくるジェームズ・ボンドはＭＩ６の諜報員という設定です。小説のような「殺しのライセンス」は持っていませんが、アメリカのＣＩＡと協力しながら、米英の利益のために活動しています。もちろん在日英国大使館にもＭＩ６の支局があります。以前、半蔵門にある英国大使館で「ここにもＭＩ６の支局があるんでしょう？」と大使館員に尋ねたら、相手の顔色が変わり、「ここでそういう話はしないでください」とたしなめられたことがあります。

一方、イギリス国内で活動する他国のスパイを監視・摘発するのはＭＩ５という組織です。

「ゆりかごから墓場まで」

イギリスというと、私のような世代にとっては、「ゆりかごから墓場まで」というキャッチフレーズを思い出します。これは第二次世界大戦後のイギリス労働党が掲げたスローガンです。

第二次世界大戦後、それまで戦時内閣を率いていたチャーチルの保守党は、労働党に敗れます。戦争が終わったら、チャーチルに用はない。イギリス人のドライさというか、合理性というか、政権が交代するのです。

１９４５年5月にドイツが降伏し、ヨーロッパでの戦争が終わると、イギリス国民は、戦後社会の復興を目指して、政府に社会福祉の充実を求めました。7月の総選挙で労働党が勝利し、アトリー首相が誕生すると、ドイツでのポツダム会談の最中にチャーチル首相は辞職し、アトリー首相にその座を譲ったのです。チャーチル首相が味わった屈辱は、いかほどのものだったのか。

しかし、その次の総選挙で再び保守党が政権に返り咲いても、保守党は労働党の社会福祉路線を引き継ぎました。

その政策の中心となったのが、イギリス国民全員が無料で医療サービスを受けられる国民保健サービス（NHS）です。これにより、イギリス人は生まれたときから亡くなるまで、つまり「ゆりかごから墓場まで」医療サービスを受けられるようになったのです。

このシステムは、驚くべきことにイギリス旅行中の外国人観光客にも適用されます。あなたがイギリス滞在中に発病しても、病院で無料の治療を受けられるのです。

ただ、この「外国人でも治療が受けられる」仕組みが、イギリスのEU離脱の遠因になるのですが、それは、この後で。

ECに加盟し、EUから脱退

さて、イギリスはヨーロッパなのか、どうか。こんな問いをしたら、日本では「何を言っているんだ」と笑われますね。しかし、イギリスでは、これが意外にも真剣な議論になるのです。

かつて欧州大陸との間のドーバー海峡が濃霧で覆われ、船の航行ができなくなったとき、イギリスの新聞に「海峡に濃霧立ち込め、欧州大陸孤立(Dense Fog in the Channel, Continent Isolated)」という記事が出たというのです。

本来はイギリスが欧州大陸の間で交通途絶という話ですが、イギリス人のユーモア感覚の発露を感じさせます。「イギリスは欧州大陸の付属品ではない」という誇りです。

ただし、このセリフは有名ですが、本当に新聞の見出しになったという証拠はありません。いまはジョークであり、都市伝説だということになっています。

しかし、イギリスは2021年1月、EU(欧州連合)から離脱します。「我々はヨーロッパの一員ではない」と宣言したようなものでもあります。

そもそもイギリスがEUから離脱することは、2016年に実施された国民投票によって決まっていました。それが、具体的な離脱案をめぐって揉めに揉め、ようやく実現したのです。

戦争をなくすという理想から始まったEU

そもそもEUは、第二次世界大戦後、ヨーロッパから戦争をなくそうという理想から始まりました。国境をなくし、ヨーロッパがひとつの国家になれば、国家対国家の戦争はなくなるだろうという発想です。そのために欧州統合を目指して、さまざまな取り組みが行われてきました。

発端は、戦災で大きな被害を受けた西ドイツが、フランスとの国境に近い炭田での石炭採掘を再開し、鉄鋼業を復活させようとしたところ、フランスが反対したことです。これではドイツが再び強大になってしまうと恐れるフランスを、周辺の国々がなだめて、「欧州石炭鉄鋼共同体」(ECSC)を発足させました。ここに参加したのは、西ドイツ、フランス、ベルギー、オランダ、ルクセンブルク、イタリアの6か国。6か国が資源と産業を共同管理することで、フランスの恐怖を和らげ、信頼を醸成していくことに成功しました。この6か国が、その後の欧州統合の基盤になったので、「ベーシック６（シックス）」と呼ばれます。

その後、原子力を共同研究する欧州原子力共同体（ＥＵＲＡＴＯＭ）と欧州経済共同体（ＥＥＣ）を結成。これらの組織を包含する形で、欧州共同体（ＥＣ）が発足しました。

イギリスは、このＥＣの段階で加盟し、その後ＥＣは欧州連合（ＥＵ）へと発展しました。欧州統合の動きが加速し、通貨統合も果たしてユーロを導入します。

これにより戦争をなくすという目的は果たせました。第二次世界大戦後、ヨーロッパは長い平和の時代を迎えました。

ＥＵ加盟の副作用

ところが、思わぬ副作用も出ます。国境がなければ、人の移動は自由です。

東西冷戦が終わった１９９０年代になって、旧東欧の人々が、豊かな西欧に出稼ぎに行くようになります。とりわけポーランドから大勢の労働者がイギリスに移住しました。第二次世界大戦中、ポーランドはドイツとソ連によって分割占領され、国家が一時消滅するという悲劇に見舞われていました。このときポーランドの亡命政権がイギリスにでき、ポーランド人のコミュニティがあったため、これを頼りに移住してきたのです。

旧東欧は社会主義でしたから、経済は低迷し、人件費は安かったのですが、教育には力を入れていたので、能力の高い労働者が安い賃金で雇えるようになったのです。

ポーランドからの移民たちは、安い賃金で喜んで働きますから、イギリス人労働者の仕事が奪われ、移民に対する反感が募ります。

ポーランドの労働者も病気になれば、無料で治療を受けることができます。イギリスの高齢者が病院の待合室で診察の順番を待っていると、ポーランド語が聞こえてきます。実際にはそれほど多くのポーランド人が診察を受けていたとは思えませんが、少しでもポーランド語が聞こえると、高齢者たちに、「彼らが無料で治療を受けられるのは、我々が税金で支えているからだ」という反発が生まれるのです。

またイギリスの漁民たちは、ＥＵ諸国の漁船団がイギリス沿岸の漁場で漁をすることに怒っていました。ＥＵから離脱すれば、移民の入国を阻止できるし、イギリスの漁場を守ることができる。こうした理由で「ＥＵから離脱すべきだ」という声が高まります。

ＥＵの本部はベルギーのブリュッセルにあり、ここでＥＵ全体のルール作りをしています。「なんで我々がブリュッセルの官僚たちに指図を受けなければならないのだ」という不満もありました。

ＥＵ離脱でイギリス経済は混迷

イギリスがＥＵから離脱して、何が起きたのか。ガソリンスタンドにガソリンが来ない、スーパーマーケットに新鮮な野菜が並ばない、介護施設の人手不足などの問題が次々に発生しています。

離脱後もＥＵとの間での貿易には関税はかかりません。ただ、国境が復活したことで、イギリスとフランスとの間では貨物トラックの積み荷の書類検査が復活したため、スムーズな運送ができなくなりました。

人の移動も自由にできなくなり、東欧からの移民が入れなくなりました。それまでイギリスのトラックやタンクローリーの運転手の多くは東欧からの移民だったため、ガソリンは十分あるのにガソリンがガソリンスタンドにスムーズに届かなくなってしまったのです。

また、イギリスは土壌が野菜の栽培に適していないため、これまで多くの野菜はフランスから輸入されていましたが、フランスで輸出手続きをしなければならなくなったため、フランスの農家が煩雑さを嫌ってイギリスに野菜を輸出しなくなってしまいました。

また、イギリスの医療施設や高齢者施設は移民労働者によって支えられているという現実があったため、労働力不足が深刻になっています。

金融に関しては、これまでイギリスで銀行免許を取得していればＥＵのどこでも銀行業務ができたのですが、これができなくなりました。そこで活動拠点をイギリスからドイツなどに移転させた金融機関も多く、もはやロンドンは欧州の金融の中心地とは言えなくなりました。

イギリスは欧州から「独立」したかも知れませんが、欧州抜きでは存続できないことを思い知ったのかも知れません。

こうして経済的に困窮したイギリスは、活路をＴＰＰ加盟に見出そうとしているのです。ただイギリスは、すでに多くのＴＰＰ加盟国と個別に自由貿易協定を結んでおり、イギリス経済への恩恵はごくわずかだと見られています。現在も、イギリスの貿易額の５割を占めるのはＥＵなのです。

北アイルランド問題の発端はヘンリー８世

イギリスがＥＵから離脱したことで、「北アイルランド問題」が再燃する気配も生まれています。

歴史を振り返ってみましょう。16世紀、グレートブリテン島で支配を広げていたイングランドはアイルランドの統治にも踏み出します。先ほど少し触れたヘンリー8世の時代です。

ヘンリー8世といえば、妻と離婚しようとしたものの、ローマ教皇が承認しなかったため、カトリックから独立し、独自のイングランド国教会を設立したことは世界史で習いましたね。一般には「妻と離婚したかったのでカトリックから分かれた」とされていますが、その背景には、財政危機に直面していた国王が、ローマ教皇庁に送られていた教会収入を自分のものにする動機がありました。また、国内に多数あったカトリックの修道院を国有化してしまったのです。現在のイギリスの王室が全国に土地を持つ大地主であるのは、この経緯があるからです。

イングランド国教会が誕生した頃は欧州でもルターやカルヴァンによる宗教改革が行われ、プロテスタントが誕生したことから、カトリックと宗教儀式が大きく変わっているわけではないイングランド国教会もプロテスタントに分類されます。

さらにヘンリー８世はカトリック教徒が多数のアイルランドを支配し、住民にイングランド国教会に所属するように圧力をかけたため、アイルランド人の反イギリス感情が醸成されました。

これ以降、アイルランドはイングランドの支配に苦しみます。アイルランドの農産物の多くはイングランドに送られていたため、19世紀末には気候不順とジャガイモの病気から「ジャガイモ飢饉」が襲い、多数の死者が出ます。新天地を求めて多くのアイルランド移民がアメリカに移住したのも、このときです。

こうしたイングランドによる抑圧にもかかわらず、多くのアイルランド人はカトリックの信仰を守り、イングランドからの独立を試みます。

アイルランド独立戦争が勃発

かくて１９１９年から21年にかけてアイルランド独立戦争が勃発します。その結果、１９２２年、アイルランド南部は自治を認められ、１９４９年に独立を果たしますが、北部はイングランド国教会の影響力が強く、「アルスター地方」としてイギリスに留まります。これが「北アイルランド問題」の始まりです。

北アイルランドに取り残された形のカトリック教徒たちが、アイルランド本国との合体を求めた運動を始めるのです。過激派は「アイルランド共和軍」（ＩＲＡ）を組織し、武装闘争を開始。警察を襲撃したため、手を焼いたイギリス政府はイギリス軍を派遣して、治安の維持を試みますが、反発したＩＲＡは、ロンドン市内で爆弾テロなどに出るのです。１９７０年代のイギリスは「テロの時代」に見舞われます。エリザベス女王やサッチャー首相まで命を狙われました。

これに対して、今度はプロテスタントの過激派が「アルスター義勇軍」を組織して、ＩＲＡの活動家に対する個人テロを展開します。

こうして血で血を洗うような悲惨な紛争の結果、３０００人以上が犠牲になりました。

あまりの犠牲の多さに双方に厭戦《えんせん》気分が広がり、１９９８年、「ベルファス

EU離脱で北アイルランド問題の再燃が懸念されるイギリス

ト合意」により、北アイルランドに自治政府をつくり、自治が認められることで紛争は収まりました。

しかし、ベルファストなどカトリックとプロテスタントの双方が住んでいる街では、双方を分断する壁がつくられています。

ＥＵ離脱で北アイルランド問題が再燃？

それでも紛争が再燃しないで済んできたのは、イギリスもアイルランドも同じＥＵに加盟していたからです。北アイルランドのカトリック教徒にすれば、南部のアイルランドと一体化して自由に行き来ができますし、プロテスタントもイギリスとの一体化が維持できていたからです。

ところが、イギリスがＥＵから離脱したことで、紛争が再燃することが懸念されています。ＥＵ離脱に伴い、本来はアイルランドと北アイルランドの間に国境が復活するところですが、それはせずに、南北の行き来はこれまで通り維持されています。

その分、グレートブリテン島とアイルランド島との間での各種の手続きが必要になってしまい、北アイルランドのプロテスタントの間では「イギリス本国との一体性が失われた」という思いが広がっています。

ＥＵから離脱すれば何が起きるのか。当然予想されることばかりだったのに、国民投票は、思いもかけない結果をもたらしたのです。

地政学の立場からすれば、「シーパワー」の国は海を通じて大陸との関係を強化するもの。それを自ら断ち切ったことで、イギリスは苦悶しているのです。

イギリス情勢を理解するきほん

- □ かつては世界中に植民地を擁し「太陽の沈まぬ国」と言われた。今もイギリスの国王を国家元首とする「英連邦王国」が15か国ある。イギリスを中心にまとまった「仲良し」グループ「英連邦」には56か国が加盟している。
- □ イギリスには、旧植民地にルーツを持つ人たちが多数暮らしており、現在の首相はインド系、ロンドン市長はパキスタン系。
- □ イギリスは連合王国。16世紀にヘンリー8世が、スコットランドやアイルランドを手中に収め、領土を拡大した。
- □ ロシアがウクライナに侵攻した際、イギリス国防省は、戦況を随時発表。相対的に衰退したとはいえ、いまもイギリスは情報大国。
- □ EU離脱で、イギリスは欧州から「独立」したが、経済的には低迷。「北アイルランド問題」の再燃も懸念されている。

第6章

「EUを支えるのは我が国だ」

戦争を反省し欧州のリーダーとなったドイツ

ドイツあってこそのＥＵだ。
ドイツは過去を反省することで
欧州の中で存在を認められたのだ。
しかし東西に分割されていた後遺症があり、
極右の台頭など悩みは大きい。

「理想の欧州人」とは

ヨーロッパでは土産物として、「完璧な欧州人とは…（THE PERFECT EUROPEAN SHOULD BE…）」と題された絵葉書が売られています。ヨーロッパ各国の国民気質を皮肉たっぷりに紹介しているのです。以下のように……。

イギリス人のように料理上手で
フランス人のように運転マナーが良く
ベルギー人のようにいつでも対応可能で
フィンランド人のようにおしゃべりで
ドイツ人のようにユーモアがあって
ポルトガル人のように技術が得意で
スウェーデン人のように柔軟性があって
ルクセンブルク人のように有名で
オーストリア人のように我慢強くて

イタリア人のように落ち着いていて
アイルランド人のようにしらふで
スペイン人のように謙虚で
オランダ人のように気前が良くて
ギリシャ人のように片付け上手で
デンマーク人のように慎重で

いずれもヨーロッパ各国の人たちに対するステレオタイプの見方を皮肉ったものです。ドイツ人は「ユーモアがあって」と描写されているように、〝本当のドイツ人〟はユーモアを解さない真面目な人たちというイメージなのでしょう。まるで日本人のように真面目と称されることもあります。

それは称賛されるべき気質かも知れませんが、ときには、それがナチスのような、とんでもないことを引き起こすという印象があるのでしょう。ドイツは、そんなイメージから離脱することができるのでしょうか。

しかし、2022年には、「ドイツはやはり信用できない」と周辺の国々が警戒するような出来事が発生しました。

ドイツで起きた「クーデター未遂事件」

貴族の末裔「ハインリッヒ13世」を押し立てて帝国を再建する。こんな計画のクーデターが現代のドイツで実行されようとしていたことが明るみに出たのは2022年12月のことでした。

ドイツ連邦検察庁は、連邦警察の特殊部隊員ら約3000人を動員し、ドイツ国内各所を一斉に捜索し、25人を逮捕しました。特殊部隊員は完全装備で自動小銃を構えていたといいますから、まさに映画さながらです。

逮捕されたのは、極右テロ組織「ライヒスビュルガー」(帝国臣民)のメンバーです。このメンバーは、武装してドイツの連邦議会を襲撃し、首相や大臣、各政党の党首らを拘束ないしは殺害して、自分たちの政権を樹立しようとしていました。処刑対象者の中にはショルツ首相も含まれていました。

彼らの目標は、現在のドイツの政体を転覆させ、「ドイツ帝国」を復活させることです。新しい政体の国家元首には「ハインリッヒ13世」が就任することになっていました。この人物は旧東ドイツのチューリンゲン州に狩猟用の居城を持ち、約800年続く貴族の家系に属するのだそうです。

全国286か所で「祖国防衛部隊」を組織化

逮捕されたメンバーにはベルリン地裁の現役の裁判官も含まれていました。さらにドイツ連邦軍の特殊コマンド部隊（KSK）の現役の兵士もいました。KSKはエリートの特殊部隊です。逮捕されたのは二等軍曹《ぐんそう》という下級兵士ではありますが、部隊の中で仲間を勧誘していたとみられています。「ハインリッヒ13世」の狩猟用の城には大量の武器や弾薬が貯蔵されていました。この武器で議会を襲撃する計画でした。

逮捕後の取り調べで、彼らは全国286か所で「祖国防衛部隊」の組織化を進めていたことも判明しました。部隊はクーデターに際して「敵」を逮捕・処刑する役割を持っていたというのです。本気だったのです。

では、この「ライヒスビュルガー」とはどんな組織なのか。ここでいう「帝国」とは、1871年から1918年まで存在していたドイツ帝国（帝政ドイツ）のことです。第一次世界大戦末期に起きたドイツ革命により消滅していきます。その後のドイツは民主化されたワイマール共和国を経てヒトラーによって第二次世界大戦に突入。敗北によって東西に分割されます。1990年に再統一されて現在に至りますが、彼らは、この歴史を認めません。現在のドイツは〝まがいもの〟であり、真の伝統あるドイツ帝国を再建するのだというのです。彼らの主張は反ユダヤ主義の色彩が濃く、戦後のドイツの歩みを真っ向から否定しています。

陰謀論者「Qアノン」はドイツにもいる

それにしても連邦議会を襲撃する。どこかで聞いたような話ではありませんか。そうです、2021年1月にアメリカの連邦議会を襲撃したトランプ支持者たちを想起させます。当時の襲撃犯の中には「Qアノン」と呼ばれる陰謀論者がいました。今回ドイツで逮捕されたメンバーの中にもQアノンが含まれていたのです。

「Qアノン」とは、アメリカで「政府の事情に通暁《つうぎょう》している」と自称し、「Q」という匿名でSNSに投稿を繰り返していた人物の信奉者たちです。「アノン」とは匿名のことです。

Qアノンに言わせると、現在のアメリカやドイツは「ディープ・ステート（闇の政府）」に支配されているというのです。トランプ前大統領は、闇の政府と戦う正義の味方だと考えています。

彼らは新型コロナウイルスの存在を信じない者が多く、「闇の政府に操られた現在の政府は、ただの風邪を新型コロナだと言い募り、マイクロチップの入ったワクチンを接種させて人類をコントロールしようとしている」と主張しています。

彼らにしてみれば、ドイツ政府がコロナ対策で都市のロックダウンを進めたり、マスクの着用を義務付けたり、ワクチンの接種を進めるのは、すべて「闇の政府」の陰謀だというのです。

「ライヒスビュルガー」は現体制に不満を持つ人たち

今回逮捕されたメンバーの中には、Qアノンばかりでなく、ヒトラーを称賛しユダヤ人を嫌悪するネオナチも含まれています。

あるいは、2015年の欧州難民危機に直面した当時のメルケル首相が100万人の難民を受け入れたことに反発している人物もいます。難民の多くはシリアから逃げてきたイスラム教徒ですから、「ドイツがイスラム化されてしまう」という危機感を持つ白人至上主義者もいます。

つまり、全員が同じイデオロギーを持っているわけではなく、現在の体制に不満を持った人々の集まりなのです。それでも「ライヒスビュルガー」のメンバーは、いまや2万3000人にまで増えました。

第二次世界大戦後のドイツは、ナチスの所業《しょぎょう》を反省し、二度と同じようなことをしてはならないと、さまざまな対策を講じてきました。それを周辺の国々が評価したことで、現在のドイツが存在します。そんな努力を無視した勢力の台頭にドイツは悩まされているのです。

ナチスへの反省が現代のドイツになった

第二次世界大戦中、ドイツは占領した地域でユダヤ人狩りを実行します。ユダヤ人を強制収容所に集めて虐殺していったのです。これはホロコーストと呼ばれます。よく知られているのはポーランドにあるアウシュビッツ収容所ですが、それ以外にも各地に収容所を建設しました。総計600万人ものユダヤ人が殺害されたのです。

第二次世界大戦後、この実態が明らかになると、ドイツは世界中から非難を浴びます。

ドイツ国内にも収容所の跡は残っています。つまり加害の証拠が存在しているので、言い逃れはできません。

もちろんドイツ人が全てユダヤ人の殺害に手を貸したわけではありませんが、ユダヤ人たちがどこかに連行されて行く様子は、多くのドイツ人が認識していました。つまり、積極的に関与しなくても、見て見ぬふりをすることで、多くのドイツ人の〝共犯性〟が問われたのです。

この責任をどう取るのか。責任を取らなければ戦後のヨーロッパにドイツの居場所はない。このため旧西ドイツは徹底した反省に取り組むのですが、旧東ドイツは、ほとんど取り組みをしませんでした。それが現代のドイツにも影を落としています。まずは西ドイツでの取り組みを見ておきましょう。

たとえば1952年、西ドイツ政府はイスラエル政府との間でナチスの犯罪に関する補償について合意します。2018年末までに約440万人の被害者に483億1200万ユーロ（現在の日本円にして7兆3434億2400万円）の補償金を支払いました。

さらに戦時中ドイツの多くの企業がユダヤ人や外国人に強制労働を行わせた責任を認め、2000年に政府と企業約6500社が強制労働被害者のための基金を創設し、被害者約167万人に44億ユーロ（日本円で6688億円）を支払っています。

歴代首相や大統領が過去を謝罪

それだけではありません。歴代の首相や大統領も謝罪を繰り返してきました。たとえば1970年、当時の西ドイツのウィリー・ブラント首相は、ポーランドに建てられたユダヤ人の慰霊碑を訪れ、ひざまずいて祈りを捧げました。この映像が世界に流れ、「ドイツの謝罪」として世界の人々の記憶に刻まれました。

また1985年5月8日、ドイツの無条件降伏から40周年の日にリヒャルト・フォン・ヴァイツゼッカー大統領はドイツ連邦議会で演説しました。その一部を紹介しましょう（『荒れ野の40年』）。

「目を閉ざさず、耳を塞がずにいた人びと、調べる気のある人たちなら、（ユダヤ人を強制的に）移送する列車に気づかないはずはありませんでした。人びとの想像力は、ユダヤ人絶滅の方法と規模には思い及ばなかったかもしれません。しかし、犯罪そのものに加え、余りにも多くの人たちが実際に起こっていたことを知らないでおこうと努めていたのが現実であります。当時まだ幼く、ことの計画・実施に加わっていなかった私の世代も例外ではありません。（中略）

問題は過去を克服することではありません。さようなことができるわけはありません。後になって過去を変えたり、起こらなかったことにするわけにはまいりません。しかし過去に目を閉ざす者は結局のところ現在にも盲目となります。非人間的な行為を心に刻もうとしない者は、またそうした危険に陥りやすいのです。」

「過去に目を閉ざす者は現在にも盲目となる」この言葉は歴史に残ります。

さらに2019年、第二次世界大戦のきっかけとなったナチス・ドイツによるポーランド侵攻から80年を迎えた9月1日、ポーランドで行われた式典にドイツのシュタインマイヤー大統領が参列。ポーランド語で「過去の罪の許しを請う。われわれドイツ人がポーランドに与えた傷は忘れない」と述べて謝罪しました。

ナチスの犯罪に時効なし

ドイツ政府は戦時中のナチスの犯罪については時効をなくし、専門に捜査する部局を設置しています。

その徹底ぶりの象徴が、2022年6月に判決が言い渡された裁判です。ベルリン近郊の裁判所で、地元に暮らす101歳の男に禁錮5年の判決が下りました。罪状は3500人の殺人ほう助です。男は第二次世界大戦下の約80年前、ナチス親衛隊の下級隊員で、ユダヤ人が虐殺された強制収容所の看守でした。戦後は家族にも過去を語らず平穏な人生を送ってきましたが、ついに追跡の手が伸びて逮捕されたのです。被告は車椅子で出頭しました。たとえ100歳を超えても責任は追及する。これがドイツなのです。

　また同年10月には強制収容所の司令官の秘書だった当時18歳で97歳になっていた女性にも有罪判決が言い渡されています。彼女は速記のタイピストだったのですが、ナチスの犯罪に関与した責任が問われたのです。

ホロコースト否定は言論の自由にあらず

　そんなドイツでも、戦後しばらくすると「ナチスによるユダヤ人虐殺（ホロコースト）はなかった」とする言説が出現します。

　これに対しドイツ政府は、こうした言説を違法とする法律を制定します。「ホロコーストはなかった」「アウシュビッツにガス室はなかった」などの発言は言論の自由には当たらない、これは虚言である、というわけです。これが刑法130条3項です。この法律は「ホロコーストの矮小化・否定を行う関係者すべてに適用される。たとえば、ホロコーストの特定局面を否定したり、矮小化するような内容の本を作成し、印刷し、流通させた者たちがいると、その著者もしくは翻訳者のみならず、編者、出版社、書店、さらにはその本を二冊以上所持している者すべてが処罰される」（『〈和解〉のリアルポリティクス』）のです。

教育現場でも徹底

学校教育でもドイツの過去について徹底的に学びます。ナチスが政権を取り、ユダヤ人を迫害し、第二次世界大戦を引き起こした歴史について、高校の授業では一カ月をかけて学びます。さらにドイツ国内に残る強制収容所の跡地を訪問することになっています。

また右手を斜め前方に挙げる挙手はナチス式敬礼として禁止されています。授業中に挙手するときは、右手の人差し指を垂直に立てるのです。

私たちはタクシーを呼び止めるときに右手を斜めに挙げることが多いと思いますが、これもドイツでは禁忌《きんき》。右手を真横に出して車を止めるのです。

さらにドイツ国内で歩道を歩いていると、「躓《つまず》きの石」を見つけることもあります。歩道に、目の前の家に住んでいたユダヤ人の名前や生年、殺された場所などが刻まれているのです。歩いていると躓きかねないような形に埋め込まれ、ナチスの蛮行《ばんこう》を忘れないようにしているのです。

旧東ドイツでは徹底しなかった

以上は、いずれも西ドイツ時代でのこと。ドイツが東西に分割されていた時代、東ドイツではナチスに対する徹底した反省は行われませんでした。ソ連に占領された旧東ドイツでは、ソ連式イデオロギーで、「悪かったのは独占資本家。プロレタリアート（労働者）は悪くなかった」という教育が行われました。むしろ「共産主義者がいかにナチスと戦ったか」というプロパガンダ（宣伝）が行われました。

また、ソ連や東ドイツにとってイスラエルはアメリカの支援を受ける「敵」と認識され、イスラエルと戦うパレスチナやアラブ諸国を支援していました。結局、ユダヤ人に対する敵意や差別意識は残ったのです。

さらに東ドイツは外国人に対する警戒心が強く、資本主義国からの訪問者は厳重な監視対象でした。まるで鎖国のような状態だったのです。

ドイツを包含《ほうがん》するEU構想

ヨーロッパで二度と戦争が起きないようにしようと推進された欧州統合。EU（欧州連合）には、実はドイツを包含しようという意図がありました。

ヨーロッパでドイツの存在感は群を抜いています。ヨーロッパの中心に位置し、地政学の観点から見れば、大陸国家として支配地域を拡大しようとしていた歴史がありました。その結果が、第一次世界大戦と第二次世界大戦でした。ヨーロッパで二度と戦争が起きないようにしようという目標は、裏を返せば、「二度とドイツに戦争を起こさせない」ということでもあったのです。

ドイツにしても、戦後のヨーロッパで生きていくためにはナチスの蛮行を反省することで周囲のヨーロッパ諸国に存在を認めてもらうことが必要でした。かくして誕生したEUは、地図で見ると、その中心にドイツが鎮座しています。ドイツにしてみれば、「ドイツあってのEU」というプライドがあるのです。

そのドイツの存在感は、経済の視点では通貨マルクの圧倒的な強さがありました。ドイツ経済が再び発展した結果、通貨高になっていたのです。

マルクを捨ててユーロを進めた

そこでドイツはマルクを放棄するという決断をします。欧州の共通通貨ユーロを導入するのです。そしてユーロもまた、その中軸にマルクの存在があるからこそ、ドルや円と並んで国際通貨の存在感を誇っているのです。

もしユーロにマルクが参加していなかったら、ユーロの価値はいまほどのものではなかったでしょう。

しかし、ドイツはマルクを捨ててユーロを導入したことで経済的にメリットを享受します。マルクを持ち続けていたら、ドイツ経済が発展すると共にマルクの価値は上昇していたでしょう。いわゆるマルク高です。これは輸出産業にはマイナスになります。

それが、ドイツ経済の力強さに見合わない弱い通貨であるユーロを導入したことで、ドイツにとっては通貨安になります。日本で円安になると輸出産業にプラスになるように、ドイツはユーロを導入することで、自動車に代表されるような輸出産業の発展につながります。

多数の難民を受け入れたドイツ

そんなドイツを2015年、「欧州難民危機」が襲います。2010年末から始まったアラブ諸国の民主化運動は「アラブの春」と呼ばれました。

独裁政権が続いていたアラブ諸国で民主化運動が活発になります。チュニジアのように独裁者が逃亡して民主的な選挙が実施され、とりあえず落ち着いた状態になった国がある一方で、シリアの場合は独裁を続けてきたアサド政権と反政府勢力が内戦状態となります。このため多くのシリア人が国を出て難民となりました。

彼らの多くは、いったんは近隣のヨルダンやトルコに逃げ込み、難民キャンプで生活しますが、やがてヨーロッパを目指して動き出します。2015年9月になって、多くの難民が北を目指しました。まるで「アラブ民族大移動」の様相を呈したのです。

小舟で地中海を渡ってギリシャやイタリアに逃げ込む難民は、さらに陸路ドイツに向かいます。バルカン半島の陸路を選択し、ハンガリーを経由してオー

地理上でもドイツはＥＵの中心

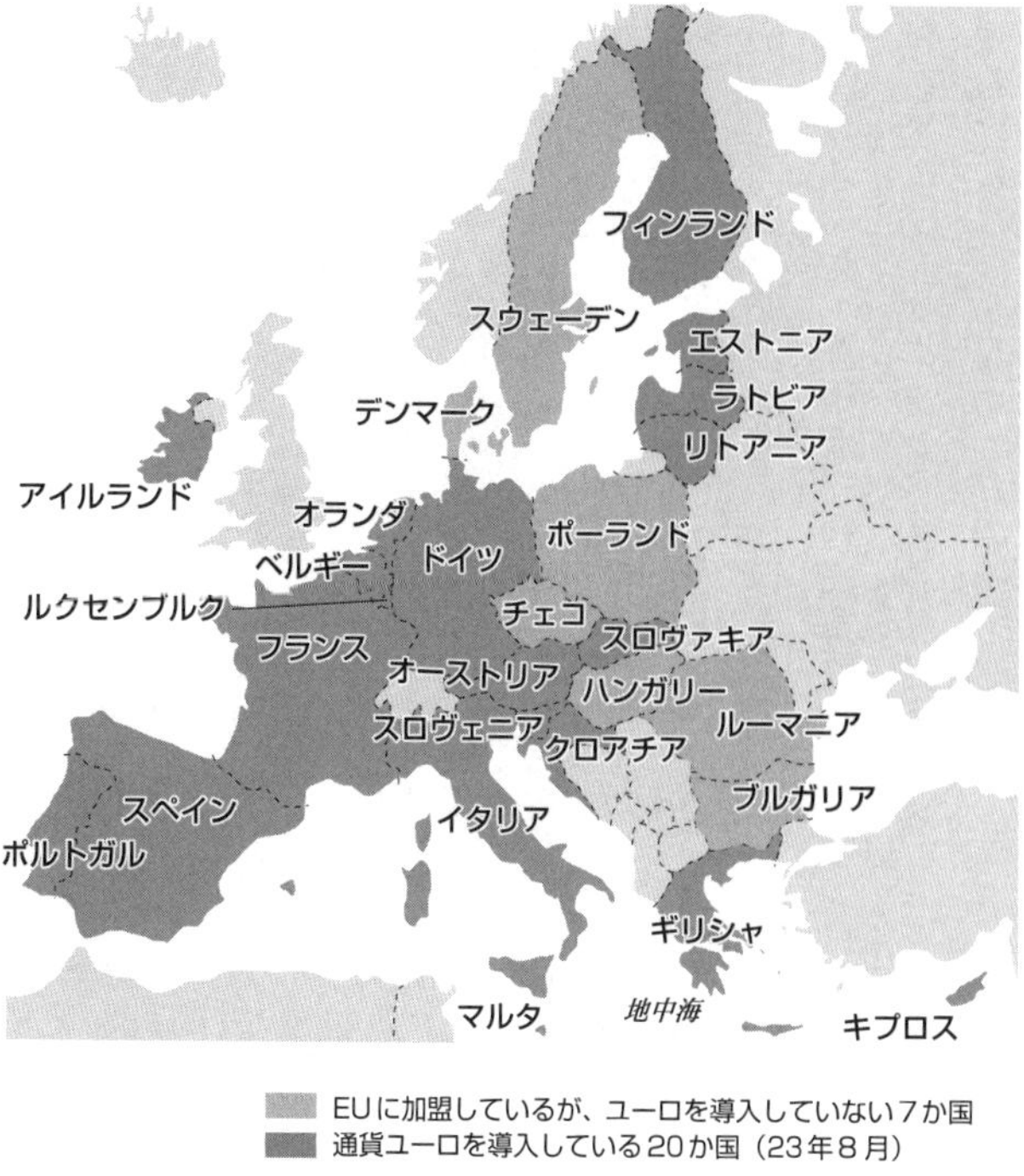
フィンランド
スウェーデン
エストニア
ラトビア
リトアニア
デンマーク
アイルランド
オランダ
ポーランド
ドイツ
ベルギー
ルクセンブルク
チェコ
フランス
スロヴァキア
オーストリア
ハンガリー
スロヴェニア
ルーマニア
クロアチア
ブルガリア
スペイン
イタリア
ポルトガル
ギリシャ
マルタ
地中海
キプロス
EUに加盟しているが、ユーロを導入していない7か国
通貨ユーロを導入している20か国（23年8月）

ストリアからドイツを目指した難民たちもいました。彼らは、ドイツが難民を迎え入れ、手厚く保護してくれることを、先に逃げ込んだ人たちからのＳＮＳを通じて知っていたからです。

ＥＵのルールでは、難民申請の希望者は、最初に入国した国で手続きをすることになっているため、ギリシャやイタリア、ハンガリーなどＥＵの外部と国境を接する国に難民が殺到し、負担が増えます。各国とも難民受け入れに消極的になり、押し寄せる難民の波は大きな国際問題となりました。

地中海を小舟で渡る難民たちは、しばしば舟が転覆して犠牲者を出します。とりわけエーゲ海で遭難し、トルコの海岸に打ち上げられた3歳のシリア人男児の遺体写真が世界に配信されると、「難民を受け入れなければ」という機運は高まりますが、各国とも準備が進まないままでした。

このときドイツのメルケル首相は、難民希望者を全て受け入れる決断をします。メルケルは敬虔なプロテスタントのキリスト教徒。キリスト者として難民の苦難を見逃すわけにはいかなかったのです。

結果、2015年から16年にかけてドイツで難民申請をした人は120万人を超えました。

ハンガリーでEUに入った難民は、ハンガリーでは難民申請せず、オーストリアに入り、そこから鉄道でドイツに運ばれました。

なぜドイツ人は難民を歓迎したのか

当時、私はこの様子を取材しました。オーストリアのザルツブルクからドイツのミュンヘンに行く国際列車は、車両の一部が難民専用車両に指定されました。終着のミュンヘン駅では、まず一般の乗客が降ろされ、その後、難民たちが待ち構えていたバスに向かいます。バスに乗る前には健康診断を受けることもできました。そこで私が驚いたのは、大勢のドイツ人が難民を歓迎するために集まっていたことです。

ヨーロッパの他の国が難民受け入れに難色を示していたのに、歓迎する人たちが大勢いたからです。難民の子どもたちのためにおもちゃを持参する人も見られました。

ＥＵ諸国が難民の存在を迷惑視する中で、なぜドイツは難民を受け入れたのか。そこにも過去のナチスの影がありました。ナチスはユダヤ人を虐殺する前に、まず少数民族のロマ（かつてはジプシーと呼ばれたが、これは差別語であるとして現在は使用されない）を収容所に入れて虐殺することから始めました。ドイツ人は、子どもの頃から学校でこの歴史を習っていたため、アラブからの難民を受け入れなければならないと考える人が多かったのです。彼らはメルケル首相の決断を支持しました。

メルケル政権は、ドイツの各州に、そこの人口とＧＤＰに比例する数だけの難民を割り当てました。各州の企業は自発的に空き倉庫を難民キャンプとして提供したり、アパートの空き部屋を州政府が借り上げて難民を収容したりしました。難民申請中はドイツ国内で働くことができないので、毎月生活費も支給。ドイツ語教育も無料で実施しました。少子高齢化が進み労働力不足に悩むドイツは、アラブ人を「良きドイツ人」にするために受け入れたのです。

右翼政党「ドイツのための選択肢」が最大野党に躍進

しかし、ドイツでは誰もが快く難民を受け入れたわけではありません。「自分たちの生活も苦しいのに、なぜ難民だけ優遇されるのか」という不満の声も出るようになります。

とりわけ旧東ドイツ地域は、東西が統合された後も、所得の低い人たちが大勢いたからです。

２０１７年の連邦議会の総選挙では、「反移民・難民」を訴える右翼政党「ドイツのための選択肢」（ＡｆＤ）が国政で初めて議席を得て、最大野党に躍進したのです。

ドイツの情報機関である連邦憲法擁護庁は、ＡｆＤの青年組織を「過激派」と認定し、「人種差別的な社会概念」を広めているとしています。そんな組織を持つ政党が存在感を示すようになったのです。

ドイツの総選挙には「５％ルール」というものがあります。得票率が５％を超えることができない政党は国政で議席を持つことができないのです。これもナチスを生んだ歴史の反省からです。ナチスが政権を掌握する当時、ドイツでは少数政党が乱立していて、ナチスに対抗することができなかったという反省から、得票率5％を基準として設定したのです。その結果、それまでＡｆＤはそれなりに得票を得ても5％を超えることはありませんでした。それが遂に5％を突破。初めて連邦議会で議席を得たどころか、最大野党にまでなったのです。

一方、メルケルが率いたキリスト教民主同盟（ＣＤＵ）は大きく議席を減らし、その後の州議会選挙でも負けます。この責任を取る形で、メルケルは2018年末にＣＤＵの党首を辞任。次の総選挙にも立候補しないで議員を引退したのです。

極右の台頭は旧東ドイツで顕著

その後もＡｆＤは支持を伸ばします。2023年6月に発表された全国世論調査結果によると、ＡｆＤの支持率は州によってばらつきはあるものの、17％

から19%と過去最高に近い数字を記録します。

ＡｆＤは人類の活動が地球温暖化をもたらしているという主張に異議を唱えています。ドイツ政府は温暖化対策に多額の資金を計上してきましたから、ＡｆＤの主張は、「温暖化対策のために化石燃料から脱却することで多大なコストが発生している」と不満を持つ有権者の支持を得ています。

２０２４年に州議会選挙が行われるドイツ東部のチューリンゲン州、ザクセン州、ブランデンブルク州では、ＡｆＤが初めて第1党になろうとする勢いです。

ＡｆＤの特徴は、とりわけドイツ東部つまり旧東ドイツ地域で支持が高いことです。旧東ドイツではナチスを生んだ過去のドイツの歴史への反省の取り組みがあまり行われなかったと紹介しました。そのツケが回って来ているのです。

「欧州のイスラム化」に反対する政治団体ペギーダ

また、政党ではありませんが、「欧州のイスラム化」に反対する運動も旧東ドイツ地区で拡大しています。この動きを主導しているのは「ペギーダ」という団体です。

ペギーダとは旧東ドイツを中心として活動している民族主義的政治団体で、「西欧のイスラム化に反対する欧州愛国主義者」の略称です。

彼らは「治安の悪化はイスラム教徒や外国人移民が原因だ」とし、「このままではドイツはイスラム教徒が多数派になってしまう」と主張しています。ドイツは第二次世界大戦後、ナチスの蛮行を真摯に直視してきました。その努力が報われ、ヨーロッパではEUの中心的存在にまでなってきました。しかし、その一方で、「現代版ナチス」とでも呼ぶべき運動や政党が台頭してきているのです。

この背景には、ドイツの過去について真摯に考える機会を得られなかった旧東ドイツの人たちの存在があります。また経済格差も影響しています。

東西ドイツが統一されると、旧東ドイツの企業はいずれも国営企業でしたから、非効率な仕事ぶりでした。多くの労働者を抱えていたため、少数精鋭で効

旧東西ドイツ

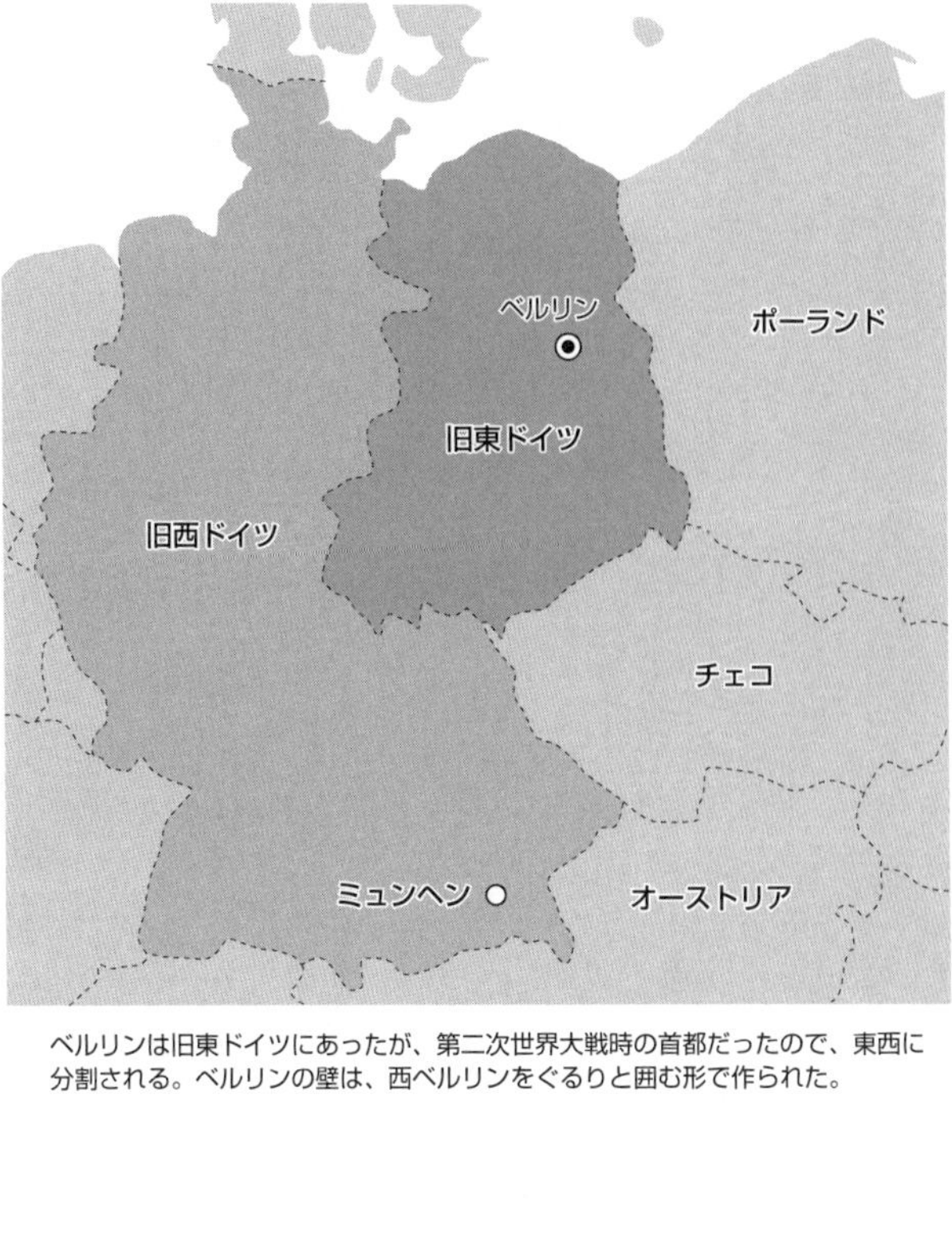

ベルリンは旧東ドイツにあったが、第二次世界大戦時の首都だったので、東西に分割される。ベルリンの壁は、西ベルリンをぐるりと囲む形で作られた。

率のいい西ドイツの民間企業には太刀打ちできません。瞬く間に西ドイツの企業に買収された後、多くの労働者がリストラされ、失業者となったのです。

ベルリンの壁が崩壊し、自由な西ドイツと一緒になれることに、多くの東ドイツ国民は、当初は喜んでいました。しかし、統一されたドイツは資本主義国。激しい競争に打ち勝てなければなりません。競争に負ければ失業者。失業者がいなかった東ドイツ国民には苛酷な生活が待っていました。

またドイツ統一とはいえ、実態は西ドイツによる東ドイツの吸収合併でした。西ドイツの人たちの中には旧東ドイツの人たちを見下す傾向があり、「二級市民」のような扱いを受けます。これが旧東ドイツの人たちの自尊心を傷つけました。結果、統一ドイツの政府に対する反感が生まれます。

その意味で、ドイツはいまだに東西が統一されていないと言うこともできるでしょう。

原発全廃に踏み切ったドイツ

その一方で、極右に反対するリベラルな勢力も力を伸ばしています。それが「緑の党」です。2021年9月の総選挙で躍進し、連立政権に入った「緑の党」は、原子力発電所の全廃を主張。これにより、2023年4月、それまで運転していた3つの原子力発電所が運転を停止しました。

日本でもそうでしたが、ヨーロッパでも1970年代に環境問題が深刻になります。しかし、既成政党による環境問題への取り組みが不十分だと不満を持った若い世代により環境保護を求める市民運動が活発になります。その運動の中から「緑の党」は生まれました。

とりわけ大きなきっかけとなったのは、1986年のチェルノブイリ原子力発電所の事故でした。原子炉が爆発し、大気中に巻き上げられた大量の放射性物質は、風に乗ってドイツ国内にも落下。土壌汚染が問題になり、反原発運動が盛り上がります。

さらに2011年の東日本大震災で東京電力福島第一原子力発電所の事故が

起きると、当時のメルケル首相は「日本人ですら対応できないような事故が起きる可能性のある原子力発電所は全廃する必要がある」と発言。事故が起きた日本では原発の再稼働が続きますが、ドイツは全廃に舵を切ったのです。

その後、メルケル首相は引退しましたが、２０２１年9月に行われた総選挙で「緑の党」は得票率14・8％で議会第三党になり、11月にドイツ社会民主党、自由民主党との連立政権を樹立したのです。

いったん原発を全廃すると決めたら、計画通りに実行する。ドイツという国が「真面目」と見なされる理由でしょう。

その一方で、ドイツは原発を全廃する代わりに、ロシアから天然ガスを大量に輸入する計画を立てていました。天然ガスは石油に比べて二酸化炭素の排出量が少ないので、化石燃料の消費を段階的に減らしていく予定だったのです。

ところがロシアによるウクライナ侵攻で、ロシアから天然ガスを購入する計画を中断。他国から高価な天然ガスを輸入せざるをえなくなり、電気代の高騰に苦しんでいます。これも現在のドイツの一断面です。

ドイツ情勢を理解するきほん

- [ ] 第二次世界大戦後のドイツは、ナチスの所業を反省し、さまざまな対策を講じてきた。それを周辺の国々が評価したことで、現在のドイツが存在する。
- [ ] ヨーロッパで二度と戦争が起きないようにしようと推進された欧州統合。裏を返せば「二度とドイツに戦争を起こさせない」ということでもあった。
- [ ] ユーロは、その中軸にドイツマルクの存在があるからこそ、ドルや円と並んで国際通貨の存在感を誇っている。ドイツはユーロを導入したことで、経済的なメリットを享受している。
- [ ] ドイツ統一の実態は、西ドイツによる東ドイツの吸収合併。東西の経済格差が大きく、旧西ドイツの人たちの中には旧東ドイツの人たちを見下す傾向があり、旧東ドイツの人たちの間に、統一ドイツ政府に対する反感が生まれた。
- [ ] 2015年の欧州難民危機では、メルケル首相の決断で、100万人の難民を受け入れた。多くの人はその決断を支持。そこにも、過去のナチスへの反省があった。

第7章

「我々は我々の道を行く」

世界を動かす「グローバルサウス」

もう開発途上国とは呼ばせない。
我々は世界のGDPの4割を占めるまでになった。
アメリカにも、ロシアにも、中国にも肩入れしない。
我々は我々の道を行く。

G7広島サミットに招かれた8か国

２０２３年5月に広島で開かれたG7サミットにはウクライナのゼレンスキー大統領も参加して大きなニュースになりましたが、このときサミットのメンバーとは別に8か国の首脳が招待されていました。

このうち韓国は、対北朝鮮で結束を強めようという狙いがあり、オーストラリアは対中包囲網を形成する上で重要な国です。

これ以外の6か国は、最近よく聞かれる「グローバルサウス」と呼ばれる国々でした。インド、インドネシア、ベトナム、南米のブラジル、アフリカのコモロ、南太平洋のクック諸島です。

とはいえ、コモロやクック諸島と聞いても、どこにあるのかピンと来ない人も多いことでしょう。コモロは「アフリカ連合（AU）」の議長国、クック諸島は「太平洋諸島フォーラム」の議長国としての立場で呼ばれたのです。

このうちコモロはアフリカ大陸東部のモザンビークの沖合、マダガスカル島の北西部に位置する島々からなる連合国家です。イスラム教が国教で、人口は約85万人の小国です。周辺の海域では「生きた化石」と呼ばれる魚シーラカンスが生息していることでも知られています。

経済は低迷しているのですが、アフリカ大陸の55の国と地域で構成する世界最大級の地域組織であるアフリカ連合の議長国です。議長国の任期は一年で、2024年2月までです。日本としては、アフリカとの関係を重視していることを示すため、議長国のアザリ・アスマニ大統領を招待したというわけです。

一方、クック諸島は、オーストラリアのはるか東方に位置する英連邦王国の一員。国家元首はイギリスのチャールズ国王です。ニュージーランドとの関係が深く、自国の通貨はニュージーランド・ドルを採用しています。人口は約1万8000人という小国ですが、太平洋諸島フォーラムという地域間協力の組織の議長国としてマーク・ブラウン首相が招かれました。こちらも議長国の任期は持ち回りで一年。2024年2月までです。

太平洋諸島フォーラムは、名前の通り南太平洋16の国と2つの地域から構成されています。オーストラリアとニュージーランド以外は、パプアニューギニアやフィジーなどいずれも小国です。

手分けをしてアフリカと中南米を訪問

サミットの前月の２０２３年4月、岸田文雄首相は、アフリカのエジプト、ガーナ、ケニア、モザンビークを順に訪れました。日本の現職首相のアフリカ訪問は約7年ぶりです。

なぜ、この4か国なのか。アフリカ北東部のエジプト、北西部のガーナ、東部のケニアとモザンビークというそれぞれ地域の中核となる国であると共に、日本との関係が深い国です。

アフリカは国連加盟国の4分の1を占める重要な地域であると共に、急速に経済発展している国が多くなっています。アフリカの人口の約7割が30歳以下。とても若い国々なのです。

今回は訪問していませんが、アフリカ最大の経済を誇るのは、ナイジェリアで、ＧＤＰは世界31位。一人あたりのＧＤＰは、ここ20年で平均５％以上のペースで伸びています。人口もアフリカ最大で2億1800万人。2050年には、アメリカを抜いて世界3位の人口になると予測されています。アフリカ諸国も「グローバルサウス」の重要なメンバーなのです。

一方、ほぼ同じ頃、林芳正《よしまさ》外務大臣は中南米を歴訪しました。トリニダード・トバゴ、バルバドス、ペルー、チリ、パラグアイの各国です。首相はアフリカへ、外相は中南米へと手分けをして訪問したのですね。

なぜ中南米を訪問したのか。外務省のウェブサイトでは、以下のように説明しています。

「鉱物・食糧・エネルギー資源の宝庫でもある中南米諸国は、現下の国際情勢において、その重要性が増しています。そうした観点から、ポテンシャルの高いこれらの国々との一層の二国間経済関係強化や各国の直面する課題への対応における協力の方策についても意見交換を行う予定です」

実に正直ですね。資源目当てだと言っています。これらの国々も「グローバルサウス」です。

「南北問題」という用語が発端

「グローバルサウス」とは、曖昧な概念ですが、要は「グローバルに発展しつつある南の国」というイメージです。ただ、もともとは1990年代、東西冷戦が終わり、世界がグローバル化して経済が発展を始めたときに「グローバル化から取り残された南」という意味で使い始めた学者もいたようです。

世界地図を見ると、アメリカやヨーロッパや日本など北半球の国々は、経済が発展した先進国が多くあります。

ところが、赤道付近など南の国々には、発展途上国が多く分布しています。こういう状況を「南北問題」と呼んできました。世界レベルでの格差問題です。

こうした格差の背景には、かつてヨーロッパ諸国の植民地となったことで経済発展が遅れたという歴史があります。「南」の国々にとっては、北に対し、「自分たちの国の資源を搾取して発展を遂げた」という恨みがあるのです。

ところで世界では、もう一つの分け方もあります。それが第一、第二、第三世界という分類です。

第二次世界大戦後、世界は東西冷戦を迎えました。資本主義経済を採用したアメリカや西ヨーロッパ諸国は経済が大きく発展し、「第一世界」と呼ばれました。

これに対し、旧ソ連（現在のロシア）や東ヨーロッパ諸国は社会主義経済を採用して第一世界と対立したため、「第二世界」と呼ばれました。

そして、インドやインドネシアなどは、どちらの仲間にもならないで、独自のグループを作ったことから「第三世界」と呼ばれました。これらの国々は、ちょうど「南北問題」の「南の国」とほぼ重なります。第三世界とは「貧しい国」というイメージがあったのです。

現在の「グローバルサウス」は、かつての「南の国」であり、「第三世界」の国々なのです。

しかし、かつての貧しさのイメージはすっかり払拭されました。東西冷戦が終わった後の30年間で、Ｇ７の国々のＧＤＰの総計の比率は世界全体の約４割にまで低下した一方で、新興国・途上国つまりグローバルサウスの国々の

GDPも総計が約4割に達しました。それだけ存在感が高まっているのです。

「第三世界」を宣言したバンドン会議

「第三世界」という呼び名が定着したのは、1955年4月にインドネシアのバンドンで開かれた「アジア・アフリカ会議」(バンドン会議)です。

きっかけは、第二次世界大戦後に独立を果たしたアジア・アフリカの国々が、東西冷戦に巻き込まれることなく互いに連帯していこうという意識の高まりがあったからです。主導したのは、「非同盟主義」(東西どちらにも与しない)を唱えるインドのネルー首相でした。

インドネシア・ジャワ島の都市バンドンで開かれた会議には、インドネシアのスカルノのほか、インドのネルー、中国の周恩来《チョウエンライ》、エジプトのナセルなど、独立まもない若き国を束ねる指導力を備えた卓越した指導者たちが集結しました。これからは「アジア・アフリカの時代」だという印象を世界に与えました。

議長を務めたインドネシアのスカルノ大統領は、この会議を「世界人口の約半数の13億（当時）を占める有色人種の代表による、世界最初の国際会議」と述べました。29か国が参加し、日本もオブザーバーとして参加しました。

アジア・アフリカ会議は共同声明として、国連憲章の尊重、植民地主義反対、経済建設の推進、生活水準の向上など平和十原則を打ち出して閉会しました。

その後は参加国間での紛争や国内でのクーデターなどが起きた国があったことなどから、会議は、このとき一回限りとなりました。

しかし、東西両陣営に対し、「第三勢力」の存在を印象付けるものになりました。その後、2005年に同じバンドンで50周年の記念式典が開かれています。

現在のグローバルサウスを主導していると自負しているのはインドです。2023年1月には、インドのモディ首相が「グローバルサウスの声」サミットをオンラインで開催しました。これには、なんと125か国が参加したのです。

ロシアのウクライナ侵攻で注目を集めた

グローバルサウスの国々の動向が一躍注目されるようになったのは、２０２２年２月のロシアによるウクライナ侵攻でした。

世界の多くの国が怒り、国連総会でロシアに対する非難決議が採択されました。賛成したのは１４１か国でしたが、インドや南アフリカなど35か国は棄権しました。つまりロシアを非難しなかったのです。これらの国の大半はグローバルサウスに分類される国々でした。

「北」の先進国にしてみれば、明白な侵略行為なのにもかかわらず、非難しない国が、これほど多数に上ったことは衝撃でした。

しかも欧米諸国はロシアに対して経済制裁に踏み切りましたが、非難決議に賛成しながらも経済制裁には加わらない国もあったのです。

こうした国は、ふだんから石油や天然ガスさらに武器などをロシアから購入しているため、ロシアとの関係が悪化するのを恐れたのです。

また、経済制裁に加わってロシアから石油や天然ガスの購入を止めた場合、どこか別の国から輸入しなければなりませんが、それではコストがかかってしまいます。そこで、いずれも「自国ファースト」を貫いたのです。

さらには、グローバルサウスの多くの国は、かつての植民地。欧米流の「民主主義」の押し付けに対する反発もありました。

過去にソ連の支援を受けた国々

グローバルサウスの国々とロシアとの関係では、過去にソ連から支援を受けてきた国が多いことを忘れてはいけません。ここにも現代史が関係しているのです。

かつてソ連（ソビエト社会主義共和国連邦）は、植民地からの独立を目指す諸国にとって恩人でした。ソ連は、その思惑はともかく、独立闘争を戦う植民地を支援してきました。独立運動の指導者たちをソ連で教育したり、ゲリラ闘争で戦う武器を支援したりしてきました。

たとえばベトナムは、1954年に南北に分断され、1960年代は米軍が南ベトナム政府を支援して、南ベトナム国内で反政府武装闘争を展開する解放戦線と戦ってきました。さらにアメリカは、「解放戦線を支援している北ベトナムに打撃を与える」と北ベトナムを爆撃していましたが、ソ連は北ベトナムへの支援を続けてきました。その結果、南北統一を果たしたベトナムにとって、ソ連そして後継のロシアは恩人なのです。

またインドは、中国と「中印戦争」を戦ったことがあり、中国と関係が悪化していたソ連から「敵の敵は味方」として武器を購入してきました。

南アフリカは、かつては悪名高い「アパルトヘイト政策（人種隔離政策）」をとってきましたが、ソ連はアパルトヘイトと戦っていた黒人グループを支援してきました。結局、その黒人グループが政権を掌握したのですから、ロシアと密接な関係を維持しています。

さらにアラブ諸国は、イスラエルが建国されて以降、イスラエルとの中東戦争を戦ってきましたが、これをソ連が支援していました。

2つの陣営の獲得競争続く

東西冷戦時代、「第三世界」を標榜《ひょうぼう》したインドやインドネシアに対し、アメリカも仲間に引き入れようとして、経済的な支援などを熱心に行ってきましたが、必ずしも効果を上げていませんでした。

それが今度はグローバルサウスとしてロシアへの経済制裁を拒んでいます。アメリカにしてみれば、これは重大な利敵行為。なんとしてもグローバルサウスを味方につけようと必死です。

東西冷戦が終わった後も、「新しい冷戦」と呼ばれる時代は続いています。それは即ちアメリカとロシアという2つの陣営が、グローバルサウスを自らの陣営に引き入れようという争いでもあります。

そして現在は、中国もグローバルサウスの国々に接近し、影響力を拡大しようとしています。エチオピアで高速鉄道を建設したり、アフリカ連合（AU）の本部棟の建設を支援したり、アフリカの後見人のような立場に立とうとしています。

経済力をつけ、影響力を増してきたグローバルサウスの国々が、アメリカをはじめとする欧米、ロシア、中国とうまく駆け引きをしながら、自国の利益を追求しようとする姿が見えてきます。

グローバルサウスを理解するきほん

- 「第三世界」という言葉が定着したのは、1955年に開かれた「アジア・アフリカ会議（バンドン会議）」。この会議は、東西冷戦に巻き込まれることなく連帯していこうという意識から生まれたもので、これからは「アジア・アフリカの時代」という印象を世界に与えた。
- 現在のグローバルサウスを主導していると自負しているのはインド。モディ首相がオンラインで開催した「グローバルサウスの声」サミットには125か国が参加した。
- グローバルサウスの国々は、過去にソ連から支援を受けてきた国が多い。インド、南アフリカ、ベトナムなどは、ロシアに対する国連の非難決議を棄権した。

第8章
「もはやアメリカの裏庭ではない」
日本と縁の深い南米の大国ブラジル

南米諸国を率いるのは我々だ。
世界で初めて「非核地帯」を作り上げた。
もうアメリカの言いなりにはならない。
「地球の肺」アマゾンを守るのも我々なのだ。

日本に日系ブラジル人が多いわけ

群馬県の大泉町《おおいずみまち》は「ブラジリアンタウン」と称されます。多くの日系ブラジル人が住んでいるからです。大泉町の住民の10人に1人はブラジル人という比率の高さです。

街にはポルトガル語表記の看板が多く、町役場もポルトガル語の広報紙を発行するなど、ポルトガル語がまるで第二の公用語のような様相を呈しています。大泉町など北関東には高度経済成長期に多数の工場が建設されました。そこで多くの日系ブラジル人が働いているのです。

日本には2022年末現在で約21万人のブラジル人がいます。群馬県以外でも愛知県や静岡県など製造業が盛んな地域で労働者として働いている人が多いのです。

多数の日系人が来日するきっかけは日本の労働者不足です。1980年代後半、日本経済はバブルとなり、空前の好況で労働者不足に見舞われました。そこで注目されたのが日系ブラジル人でした。

外国人労働者を多数受け入れたドイツなどヨーロッパでさまざまな文化摩擦が起きていることが伝えられていたことから、「外国人労働者は欲しいが文化摩擦は困る」と政財界は悩みます。そこで日系ブラジル人に焦点が当たったのです。

「日本にルーツを持つ人たちなら、見た目は日本人だから日本社会に溶け込みやすいだろう」と考えたのですね。1990年に「出入国管理及び難民認定法」が改正され、就業活動に制限のない定住者資格が創設されました。日系3世にこの資格が与えられ、日本で働けるようになったのです。この年の在日ブラジル人の数は5万6429人でしたが、その後急増することになりました。

ただ実際に来日した人たちは、たしかに見た目は日本人ですが、中身はブラジル人。それなりに文化摩擦も起きるようになりますが、大泉町のように町を挙げて融和に努めている自治体もあります。

それにしても、なぜブラジルには日系人が多いのか。中南米では主にスペイン語が話されているのに、なぜブラジルだけがポルトガル語なのか。まずは、その歴史をたどりましょう。

アメリカが日本人移民を排斥

19世紀末の日本は極めて貧しく、増える人口を支えるだけの経済力がありませんでした。地方の農村地帯では、親の農地を継承するのは長男だけ。次男や三男は働き口がなく、都会に出て行きます。この中に海外への移民を志す人たちがいました。

彼らは、まずはアメリカを目指します。当初は労働力として受け入れていたアメリカでしたが、増え続ける外国人移民に対する警戒心が高まり、移民を制限する法律を相次いで成立させます。

最初に成立したのが1882年の「中国人労働者移民排斥法」です。これで中国人が入って来られなくなると、代わって日本人が多数移民してきます。アメリカ本国の白人たちより安い賃金で働くため、白人労働者たちの怒りが高まり、1924年に新たな「移民法」が成立します。

この法律でアジア系人種はアメリカ国民になる資格を持たない人種と規定されました。アジア系人種といっても、中国人の移民は既に禁止されていましたから、ここでは日本人だけを指していました。このため、この法律は、実質的に「排日移民法」でした。

この背景には、日露戦争で勝利した日本が中国大陸に進出していくことに対するアメリカ側の警戒感がありました。「黄色人種が白人に勝った」というイメージがアメリカの白人たちに恐怖を与えたのです。こうした考え方を「黄禍《こうか》論《ろん》」といいます。黄禍論を積極的にキャンペーンする新聞もあり、日本人排斥につながったのです。

ブラジルが日本人移民を積極的に受け入れた

そこで困った日本は、今度は南米に目を向けます。ブラジルが日本人の移民を積極的に受け入れることになったからです。この背景には、ブラジルが1888年に奴隷制を廃止したことがありました。黒人奴隷を酷使していたコーヒー農園では労働力不足が顕在化していました。日本人を奴隷の代わりに受け入れようと考えたのです。

そんなこととは知らない日本人たちは、「ブラジルに移住すれば一攫千金《いっかくせんきん》で明るい未来が手に入る」という甘言《かんげん》でブラジルに渡りました。その第一陣は781人。1908年に神戸港からサンパウロに向けて出港した「笠戸丸《かさとまる》」でブラジルに向かいました。

ブラジルに着いてみると、聞かされていた話と違います。ほとんどの人はサンパウロやアマゾンにある大規模農園で、まるで奴隷のような労働を強いられました。

あまりに苛酷な労働条件だったため、農園から逃げ出した人も多かったと伝えられています。それでも、逃げ出した人たちは、独立して農業を営むようになり、ジャガイモやお茶の生産に勤《いそ》しみ、次第に成功する人たちが出て来ました。

「勝ち組」と「負け組」の悲惨な対立

この日本人移民の人たちの運命が暗転したのが、第二次世界大戦でした。

ブラジルに移民した人たちを対象に現地では日本語の新聞も発行されていましたが、第二次大戦でブラジルは連合国側になったため、日本語の新聞の発行が禁止されました。

それでもポルトガル語を習得した人はブラジルの新聞を読んで戦況を知っていましたが、ポルトガル語が読めない人は、日本が海外向けに放送していた短波放送で情報を得るしかありませんでした。日本からの放送で伝えられる戦況は「大本営発表」ばかり。「日本軍は連戦連勝」という虚偽の内容を信じてしまいます。

「戦争が終わった」と伝えられると、ポルトガル語が理解できる人たちは「日本が負けた」と受け止めましたが、大本営発表を信じていた人たちの中から、「日本が戦争に負けるはずはない。実は日本は戦争に勝ったんだ」と言い張る人たちが出て来ました。彼らは「勝ち組」と呼ばれました。

その結果、「日本は戦争に負けた」と認める人たちは「負け組」と呼ばれ、「実は勝ったのだ」と信じる人たちは「勝ち組」と呼ばれました。いまもよく「勝ち組」「負け組」という言葉を聞きますが、もともとは、この言葉の使い方だったのですね。

「勝ち組」は、「日本は戦争に負けたんだ」と認める人たちのことを「非国民」などとなじり、遂には「負け組」を襲撃する殺人事件が起きるようになりました。

「自分が信じたいことだけを信じる」という構図は、現在のネットのデマを信じる人と似ています。

この人たちの認識を変えるのは大変なこと。そこで、「負け組」の人たちは、「勝ち組」の人たちの日本にいる親族や同じ出身地の人に連絡して、「日本は本当に負けたんだよ」と説得する手紙を書くように頼んだそうです。こうして、少しずつ「勝ち組」も負けを認めるようになりました。

日本の支援で農業大国に

日本とブラジルの関係では「セラード開発」も見逃せません。セラードとはブラジル中央部の高原地帯のことで、土壌が強酸性のため農業には適していない「不毛の地」とされてきました。背の低い草木がまばらな赤土地帯でした。

しかし、大豆の輸入先を確保したい日本政府と食料を輸出したいブラジル政府の思惑が一致し、セラードを大豆の一大生産地に変えるプロジェクトが始まります。1979年から「日本・ブラジル・セラード農業開発協力プロジェクト」が進められました。石灰を大量に投入して土壌を中和したのです。日本はJICA（国際協力機構）が担当しました。

当初は大豆が大量に育つようになりましたが、毎年栽培を続けていると連作障害が起きます。そこで、大豆を収穫した土地には翌年トウモロコシを植えて障害を防いだ結果、大豆もトウモロコシも豊作となりました。ブラジルは一大「農業大国」になったのです。

ただ、不毛の地が豊穣の地に変貌を遂げたことで、アマゾンの熱帯雨林を伐採して農地を拡大する動きが出てきて、この対策が急がれるようになってきています。

「地球の肺」と呼ばれるアマゾン

このアマゾンは「地球の肺」と呼ばれるほど森林資源が豊かで、二酸化炭素を吸収し、温暖化対策に大きな役割を果たしているとされてきましたが、最近は急速に面積を縮小しています。

ただし、最近の研究で、アマゾンが地球上の二酸化炭素を大量に吸収しているわけではないというのが定説です。若い樹木は成長する際に大量の二酸化炭素を吸収しますが、一方で老木は、むしろ酸素を消費します。また、土壌の微生物も酸素を消費するので、実際には酸素消費量と二酸化炭素吸収量は均衡しているというのです。もちろん森林を伐採して焼却すれば、せっかく蓄えてきた二酸化炭素が放出されて、温暖化効果になってしまいます。要は、いまの熱帯雨林を減らさないことが大事なのです。

アマゾンに関し、ジャイル・ボルソナロ前大統領は、大統領時代に熱帯雨林の伐採と開発に積極的でした。「自然破壊につながる」との海外からの批判を無視し、「経済発展のためには開発が必要だ」との立場でした。

しかし、2023年1月に就任したルイス・イナシオ・ルラ・ダ・シルヴァ大統領（略称はルラ大統領）は森林資源の保全に積極的で、熱帯雨林の伐採にブレーキがかかりました。ルラ大統領は、熱帯雨林の伐採と開発は2030年までに終わらせるという公約を掲げています。

南米の盟主めざすブラジル

2023年5月、ルラ大統領が南米11か国の首脳らを首都ブラジリアに集め、南米諸国連合の会合を開催。共通通貨の新設などについての議論が行われました。

南米には既に1995年に「南米南部共同市場」（メルコスール）が誕生しています。これは域内での関税を撤廃するという関税同盟です。かつてEU

南米諸国連合に加盟している12か国

ブラジル、アルゼンチン、ボリビア、チリ、コロンビア、エクアドル、ガイアナ、パラグアイ、ペルー、スリナム、ウルグアイ、ベネズエラ

（欧州連合）がＥＥＣ（欧州経済共同体）からＥＣ（欧州共同体）を経て成立したように、南米版のＥＵを作りたいという野望があるのです。

すでに南米12か国は２００６年から各国の国民が域内を旅行する際にはパスポートもビザも不要にしています。自国の身分証明書だけで90日間滞在できるようになっているのです。

そして今回の共通通貨の新設についての提案です。ＥＵが共通通貨ユーロを創設したように、南米でも共通通貨を創設しようという提案。南米最大の経済規模を誇るブラジルが、南米の結束に向けて音頭を取る野心を見せています。

「BRICs」の意味とは

ブラジルといえば、「ＢＲＩＣｓ」を想起する人もおおいことでしょう。ブラジル、ロシア、インド、中国の英語の頭文字を並べ、最後のｓは小文字で、複数形を示すものです。ところが、最後のｓを大文字のＳだと（敢えて？）勘違いしたのか、南アフリカが自国の頭文字のＳだと主張して、５か国による会議が定期的に開かれるようになりました。

そもそもBRICsという概念は、2001年、当時ゴールドマン・サックスのイギリス人エコノミストだったジム・オニールの提唱でした。

これがBRICSと称せられるようになってから、私はオニール氏に確認してみました。氏は「sは小文字で複数形を表すものだ」と断言しました。この4か国は人口が多いため、今後も発展し、経済的な存在感の高まりが国際政治に大きな影響を与えるだろうと考えて提唱したというのです。その点でいえば、南アフリカの人口は5989万人で、世界への影響は少ないとのことでした。ちなみに、ブラジルは2億1500万人、ロシアは1億4400万人の人口を有しています（2022年現在）。

BRICSとなった5か国は、ロシアによるウクライナへの軍事侵攻以来、当事者のロシア、ロシアを支援する中国、ロシアへの経済制裁に参加しないブラジル、インド、南アフリカで構成されることになり、欧米のような制裁には加わらないという独自のグループになったのです。

23年8月にはサウジアラビア、アラブ首長国連邦（UAE）、イラン、アルゼンチン、エジプト、エチオピアの6か国が24年1月から加盟することが決まりました。20か国以上が加盟を希望していましたから、欧米と一線を画すBRICSは今後さらに拡大していきそうです。

また、2023年にG7広島サミットに参加したルラ大統領は、バイデン大統領はロシアへの攻撃をけしかけていると批判しました。「和平は頭を冷やして交渉することで達成できる」とし、ブラジルがウクライナとロシアの停戦へ仲介役を担うことにも意欲を示しています。

世界を勝手に二分した「トルデシリャス条約」

冒頭に書いたように、中南米諸国はスペイン語圏なのに対し、ブラジルだけはポルトガル語圏です。これは1494年にスペインとポルトガルとの間で結ばれた「トルデシリャス条約」によるものです。

いわゆる大航海時代、スペインとポルトガルは争って領土の拡張を進めてきました。しかし、次第に利害関係が生まれるようになったため、世界を二分することにしました。この条約が結ばれた場所の名称から、こう呼ばれます。

実に勝手な振舞いですが、この条約により中南米のほとんどがスペインの版《はん》図《と》となりますが、その後、1500年に現在のブラジルにポルトガル人が上陸したことから、ここだけはポルトガルの植民地となったのです。

核開発をアルゼンチンと共に中止

南米を見る上で忘れてはならないのは、核兵器廃絶への取り組みです。

1962年10月、カリブ海の島国キューバにソ連の核ミサイル基地が建設中であることに気づいたアメリカは、核兵器の撤去を求め、キューバを海上封鎖します。これにはキューバもソ連も激怒し、核戦争一歩手前までになります。これが「キューバ危機」です。結局、ソ連が核ミサイルの撤去に応じたため、危機は去りましたが、この危機に心を痛めたブラジル政府は翌月、国連総会に「ラテンアメリカ非核化決議案」を提唱します。これが「ラテンアメリカ核兵器禁止条約（トラテロルコ条約）」です。核兵器とその発射装置の製造や受領、貯蔵、実験を行わないというものです。

この条約は1967年に調印され、翌年に発効します。この条約の画期的なことは、当時核兵器を保有していたアメリカ、ソ連、イギリス、フランス、中国の5か国が、条約締約国に対して核兵器を使用しないこと、また使用すると威嚇しないことを定めています。核保有国を巻き込んだ条約となっているのです。

さらにブラジルとアルゼンチンは、1991年に核エネルギーの利用を平和目的のみとする「グアダラハーラ条約」を結びました。ブラジルとアルゼンチンは隣り合った大国。隣り合った国同士は仲が悪いことが多く、ブラジルもアルゼンチンも相手を信用せず、トラテロルコ条約があっても、相手が密かに核兵器を開発しているのではないかと疑心暗鬼になっていました。

そこでグアダラハーラ条約を結び、創設されたのが「ブラジル・アルゼンチン核物質計量管理機関」（ABACC）」でした。これは相手の国が核エネルギーを平和目的に限って研究しているかどうかをいつでも立ち入り検査して確認しあうというものです。

戦争は、相手の国への不信感から生まれるもの。互いに全部オープンにして相互監視できるようにすることで、両国の信用が涵養《かんよう》され、核開発をしないで済むようになったのです。相互監視を可能にすることで、関係が改善され、南米は核戦争の脅威から離れることができたのです。

ブラジルでも議会襲撃

そんなブラジルでも国内の分断は進んでいます。2023年1月、ブラジルの首都ブラジリアで、ボルソナロ前大統領の支持者が大挙して議会や大統領府を襲撃し、一時占拠したのです。就任したばかりのルラ大統領は不在で無事でしたが、多数のけが人が出て、襲撃した支持者ら約1500人が拘束される騒ぎとなりました。

きっかけとなったのは、前年10月の大統領選挙で敗北したボルソナロ前大統領が敗北を認めず、「電子投票システムに障害があったためだ」と主張していたことです。敗北した現職の大統領が敗北を認めず、支持者が議会を襲撃する。まるで2021年1月にアメリカでトランプ前大統領の支持者たちが議会を襲撃したのとそっくりではありませんか。

そもそもボルソナロ前大統領自身、大統領時代は「ブラジルのトランプ」と呼ばれていました。大統領を批判的に報道するメディアを「フェイクニュース」と罵倒し、新型コロナの対策では、「ただの風邪だ」と主張してマスクの着用や外出自粛に反対していました。結果、本人がコロナに感染してしまうところまでそっくりでした。

トランプ前大統領は、新大統領の就任式に出席するという慣例に従わず、バイデン大統領の就任式典に出席しませんでしたが、ボルソナロ前大統領もルラ大統領の就任式の前にアメリカに出国していました。ブラジルは、安定した民主主義国家でした。それが、選挙の結果、分断がすすみました。

日本の選挙では、まだ電子投票が認められていませんが、ブラジルでは、既に電子投票制度が導入されているように「デジタル大国」です。ＳＮＳを通じて支持者たちが抗議のために集結していたのです。

「民主主義を守れ」のデモも

これに対し、ブラジルの最大都市サンパウロでは、「民主主義を守れ」と訴える数万人の規模の抗議デモも行われました。

ルラ大統領は貧困層の支持が厚い左派なのに対し、ボルソナロ前大統領は富裕層や財界の支持を受けていました。

農業大国であるだけでなく、鉄鉱石や海底油田をもつ資源大国でもあるブラジル。世界がグローバル化する中で、対外的には南米の盟主を目指すブラジルも、国内の分断・分裂に悩んでいるのです。

ブラジル情勢を理解するきほん

□ 大半の中南米諸国はスペイン語圏なのに対し、ブラジルだけポルトガル語圏なのは、1494年にスペインとポルトガルとの間で結ばれた「トルデシリャス条約」によるもの。

□ 大豆の輸入先を確保したい日本と食料を輸出したいブラジルの思惑が一致し、高原地帯セラードを大豆の一大生産地に変えるプロジェクトが1979年から始まった。ブラジルは農業大国になる。

□ EUが共通通貨ユーロを創設したように、南米でも共通通貨を創設しようとブラジルが提案している。

□ ブラジルは、キューバ危機をきっかけに、ラテンアメリカ核兵器禁止条約（トラテロルコ条約）を主導。南米は非核地帯となった。

□ 大統領選挙を電子投票にするなどブラジルは「デジタル大国」。

第9章

「我々は神の国だ」

世界一を自負するアメリカ

我々は「神の国」だ。
ピューリタンが建国した国なのだ。
アメリカの紙幣にもコインにも
「我々は神を信じる」と書いてある。
自国を守るために遠くの国で戦うのだ。

「中絶」が選挙の争点になるアメリカ

２０２２年6月、アメリカ連邦最高裁判所は、１９７３年に当時の最高裁が人工妊娠中絶の権利を認めた判断を覆しました。ただ、今回の判決は「妊娠中絶は認められない」というものではありませんでした。どういうことか整理しておきましょう。

この判決は、妊娠15週を過ぎた胎児の中絶を禁止するミシシッピ州の州法を合憲と判断したものです。ミシシッピ州の中絶禁止の法律が憲法に違反しないと判断しただけで、全米すべてで中絶を禁止すべきだと言ったわけではありません。今回の判決は、「憲法は中絶について何も言及していないので、憲法が中絶の権利を認めているというわけではない。中絶を認めるかどうかは有権者と、選挙で選ばれた代表の判断に委ねるべきだ」というものなのです。

つまり、中絶を認めるかどうかは、各州の州議会が判断すべきだというわけです。これまでは１９７３年の憲法判断で、中絶を選ぶかどうかは国家から個人の行動が制約を受けないプライバシー権に含まれていると判断されました。

そして、胎児が子宮の外で生存できるようになるまでは中絶は認められると判断していたのです。この基準は、現在の医療水準では「妊娠22週から24週頃よりも前」とされています。

今回の憲法判断で、各州の州議会は、中絶を禁止する法律を自由に制定することができるようになりました。その結果、ケンタッキー州やミズーリ州など13の州で中絶が禁止されました。こんなに早く禁止できたのは、事前に最高裁の判断次第で直ちに効力を発揮することができると定めていたからです。

これらの州では、たとえレイプや近親相姦による妊娠であっても中絶は認められません。テキサス州の法律では、中絶手術をした医師は最高で終身刑になる可能性まであるものになっています。

さらにオクラホマ州では中絶手術をした医師や、その支援をした団体や個人を訴えることもできるようになっています。

宗教が政治に影響を与えている

共和党は宗教保守派の影響が強く、妊娠中絶反対の立場で、今回の判決について諸手を上げて歓迎しています。

一方、民主党の場合は概して中絶の権利は認めるべきだと考える人が多いのが特徴です。

そこで民主党は、2022年11月に行われた中間選挙で「中絶の権利を守れ」というキャンペーンを実施しました。中間選挙では、連邦議会の議員ばかりでなく、州議会議員選挙も実施されます。州議会で多数派になれば、中絶を認める州法を制定できるというわけです。この中間選挙は当初、共和党が圧倒的に有利と見なされていましたが、実際には民主党が健闘しました。その理由のひとつが「中絶」です。

共和党は中絶に反対の方針でしたが、これに反発する女性たちが積極的に投票に行き、民主党に票を投じたと見られているのです。

アメリカで、これほどまでに中絶をめぐって対立するのは、日本にいるとなかなかピンときませんが、中絶を「胎児に対する殺人」と受け止める宗教保守派の勢力が強いのです。アメリカは「宗教国家」だからです。

人口の4分の1が厳格なキリスト教徒「福音派」

「中絶」をめぐる議論は、今後のアメリカ大統領選挙での争点にもなります。なぜ宗教保守派が中絶に厳しい態度を取るかといえば、「妊娠するかどうかは神の決定であり、人間の意思で中絶することは認められない」という宗教的信念を持っている人たちがいるからです。

特にアメリカでは、「福音派」と呼ばれる厳格なキリスト教徒が人口の約4分の1いて、宗教が政治に影響を与えているのです。彼らはキリスト教原理主義とも呼ばれます。

アメリカの紙幣にもコインにも「我々は神を信じる」と書かれています。「神を信じる国家」なのです。大統領就任式で新任の大統領は、必ず聖書に手を置いて宣誓します。大統領は就任演説で聖書の一節を引用するのが通例ですし、演説の最後には必ず“God bless America.”（アメリカに恩寵《おんちょう》がありますように）という言葉で結びます。

アメリカが「神の国」となった歴史とは

ここでアメリカが「神の国」になった歴史を振り返ってみましょう。

1620年、「メイフラワー号」に乗ったイギリス人たちがアメリカに上陸したことは世界史で習いますね。彼らは日本語で「清教徒」と呼ばれます。ピューリタンです。彼らは、宗教改革で誕生したプロテスタントの一派、厳格なカルヴァン派の影響を受け、イングランド国教会を改革して、より純粋なものにしようとします。これは当初「ピュアだな」「純粋だな」とからかわれ、「ピューリタン」と呼ばれましたが、そのうちに「純粋で何が悪い」とばかりに、ピューリタンと自称するようになったのです。

これを面白く思わなかったイングランド国教会はピューリタンたちを弾圧。弾圧を逃れて新天地を目指した人たちがアメリカに移住しました。とりわけ

「メイフラワー号」に乗っていた人たちは「建国の父」と呼ばれました。彼らは『聖書』に書かれていることは全て真実だと純粋に信じていた人たちです。

彼らがアメリカに上陸して先住民と接触すると、先住民たちはバタバタと病気で倒れて死んでいきます。その結果、住む人のいない土地が増えていきます。これを見たピューリタンたちは、「神様が私たちのために土地を用意してくれたのだ」と勝手に思い込みます。神から与えられた「約束の地」だというわけです。

実際には彼らより先にアメリカに移り住んだ人たちが知らないうちに天然痘のウイルスを持ち込み、免疫のなかった先住民たちが大量に病死したのです。天然痘に免疫を持っていた人々は、「自分たちは神から祝福されているのだ」と考えるようになっていきます。

アメリカという国は、しばしば外交政策で「アメリカこそが正しい」という傲慢な態度を取ることがあります。これは、世界一の経済力や軍事力を持っているということもありますが、自分たちの国が「神の国」だと信じているからでもあります。

1845年、ジャーナリストのジョン・オサリバンは、「神が与えた大陸全体を所有するのは、明白な使命である」と主張し、多くの人に影響を与えました。

その結果が、メキシコとの戦争、米墨《べいぼく》戦争です。

領土拡大への道① メキシコから領土を奪う

アメリカ大陸全体を所有しようという「明白な使命」を持ったアメリカは、メキシコの領土を侵略します。アメリカのテキサス州は、もともとメキシコ領でした。しかし、ここに多くのアメリカ人が入植し、1836年、一方的に「テキサス共和国」の独立を宣言します。さらに1845年にはテキサス共和国を併合してテキサス州とします。

他国の領土に自国民を送り込み、独立を宣言させてから自国領に併合する。まるで、どこかの国の振舞いのようではありませんか。

これによりメキシコとの関係が悪化すると、アメリカは「メキシコが先に領土を侵犯《しんぱん》した」としてメキシコを攻撃。これがアメリカ・メキシコ戦争（米墨戦争）です。

メキシコに攻め込んだアメリカ軍は1847年に首都メキシコシティを占領。翌1848年2月、両国は講和条約「グアダルーペ＝イダルゴ条約」を締結し、メキシコはカリフォルニアとニューメキシコの領土をアメリカに譲渡せざるを得なくなります。こうして両国の国境はリオグランデ河となります。

なぜ「ニューメキシコ州」というのか、なぜカリフォルニアにはロサンゼルスやサンフランシスコのようなスペイン語の地名が多いのか。それは、もともとメキシコ領だったからです。

領土拡大への道②　米西戦争を経てキューバを保護下に

アメリカは、次にスペインとも戦争に踏み切ります。それが「米西《べいせい》戦争」です。

アメリカの南方のカリブ海に浮かぶキューバはスペインの植民地でしたが、スペインからの独立を目指して独立戦争を戦い、１８９５年にスペインからの独立を宣言します。

しかし、スペインがこれをなかなか認めようとしない中、１８９８年２月、キューバのハバナ港に停泊していたアメリカの戦艦「メイン号」が謎の爆発を起こして沈没。多数の米兵が犠牲になります。

原因は不明で、「アメリカの謀略《ぼうりやく》」という説もありますが、アメリカ国民は激怒。スペインとの戦争になり、太平洋の各地でスペイン軍を撃破。１８９８年12月に講和が成立し、パリ条約でキューバの独立は承認され、アメリカはフィリピン、プエルトリコ、グアムを獲得しました。

まさにアメリカによる帝国主義戦争でした。これ以降、キューバはアメリカの保護領のような存在になり、アメリカはキューバにグアンタナモ基地を建設しました。その後、キューバはカストロによるキューバ革命で反米国家となりますが、アメリカはグアンタナモ基地を手放しません。結果、「反米国家の中にある米軍基地」という不思議な存在となるのです。

こうして世界に影響力を強めたアメリカは、第二次世界大戦後、地球規模でソ連と対立し、ソ連を封じ込めるために「世界の警察官」として振舞うようになるのです。

「政教分離」は「国教」を禁止したもの

アメリカは「神の国」だと多くのアメリカ人が信じているのに、アメリカには「政教分離」の原則があります。アメリカ合衆国憲法修正第一条には、次のように記されています（日本語訳はアメリカンセンターによる）。

「連邦議会は、国教を定めまたは自由な宗教活動を禁止する法律、言論または出版の自由を制限する法律、ならびに国民が平穏に集会する権利および苦痛の救済を求めて政府に請願する権利を制限する法律は、これを制定してはならない」

つまり国教を定めてはいけないということです。ピューリタンがやって来た後、アメリカにはヨーロッパから多様なキリスト教の宗派の人たちが移り住みました。その結果、どこか特定の派が国教になってしまうのを恐れたのです。

ピューリタンたちは、イギリスなどヨーロッパで自分たちの信仰が迫害を受け、信仰の自由を求めてアメリカに移ってきました。何よりも信仰の自由を守るために「国教」を定めることに反対し、政教分離を定めました。その背景には、みんながキリスト教徒であることが前提とされていたのです。

『進化論』の教育を禁止したことも

アメリカのキリスト教原理主義者たちは、教育にも介入します。アメリカではテネシー州など13の州が、かつては「進化論禁止法」を制定していたこともあるのです。『聖書』には、神はアダムとイブを創ったと書いてあるのだから、人間が猿の仲間から進化したなどという『聖書』に反することを教えてはいけないというものです。

これにより、1925年にはテネシー州デイトンにある高校で「進化論」を教えた教師が逮捕され、100ドルの罰金刑を受けたことがあるほどです。この裁判は「モンキー裁判」と呼ばれました。人間が猿の仲間から進化したなどというバカげた理論を教えたとして裁判になったからです。

その後、テネシー州最高裁判所で無罪になりますが、理由は「判決の手続きに誤りがあった」というもので、法律の是非には触れませんでした。テネシー州が進化論禁止法を廃止したのは実に1967年になってからのこと。これがアメリカなのです。

アメリカの学校の教科書は、各学校が独自に採用しますので、現在でも進化論が掲載されている教科書は南部の学校で採択されにくいという事情がありま す。結果、アメリカの高校生用生物の教科書では、進化論を取り上げないか、取り上げても、「こういう理論がある」程度にしか扱っていないこともあるのです。

優れた科学技術大国であるアメリカの、もう一つの側面です。これが「宗教国家」アメリカなのです。

奴隷制を前提にアメリカは建国された

アメリカでは2020年5月、ミネソタ州で黒人男性が白人警察官に頸部《けいぶ》（首）を長時間圧迫されて死亡する事件が起きました。これをきっかけに「ブラック・ライブズ・マター（黒人の命は大切だ）」という運動が広がります。リンカーン大統領の「奴隷解放宣言」が出されたのが1863年ですが、いまだに黒人差別は解消されていません。

実はアメリカの憲法は、そもそも黒人差別を前提として制定されたのです。

1787年に成立した憲法の第二条第三項にこう書かれています。

「下院議員と直接税は、連邦に加わる各州の人口に比例して各州間に配分される。各州の人口は、年期を定めて労務に服する者を含み、かつ、納税義務のないインディアンを除いた自由人の総数に、自由人以外のすべての者の数の5分の3を加えたものとする」

アメリカ憲法が制定された当時、「インディアン」（アメリカ先住民）はアメリカの人口として計算されていなかったことがわかります。さらに注目すべきは「自由人」あるいは「自由人以外」という用語です。「自由人以外」とは黒人奴隷のこと。つまり黒人奴隷は、白人の5分の3人として計算すると明記されているのです。

これは、黒人奴隷の多かった州が、白人の数だけでは割り当てられる下院議員の数が少なくなってしまうと考え、黒人奴隷の数も算入するように求めた結果だといわれています。

アメリカの憲法は、改正されると、それまでの条文を残したまま、後から付加された修正条項が表記されます。このため「自由人以外」という表記は現在の憲法では無効になっているのですが、奴隷制を前提にアメリカという国家が建国されたことを物語っています。

「独立宣言」でも黒人は差別されていた

また、アメリカという国の理念を謳い上げた1776年の「独立宣言」に書かれている文章も有名です（アメリカンセンター訳）。

「われわれは、以下の事実を自明のことと信じる。すなわち、すべての人間は生まれながらにして平等であり、その創造主によって、生命、自由、および幸福の追求を含む不可侵の権利を与えられているということ」

「すべての人間は生まれながらにして平等」

なんだ、黒人差別は否定されているじゃないか。そう思いますよね。実は、この「すべての人間」に黒人奴隷は含まれていないのです。当時の黒人奴隷は、単なるモノ。白人の所有物だったのです。そもそも「独立宣言」を起草したトマス・ジェファーソン自身も数百人の奴隷を所有していました。自ら所有する黒人奴隷の女性との間に生まれた子どもは解放しましたが、それ以外の奴隷を解放することはなかったのです。

リンカーンの「奴隷解放宣言」

黒人奴隷が解放されたのは1863年。奴隷解放を求める北部と奴隷制維持を求める南部との戦争（南北戦争）の最中、リンカーンが「奴隷解放宣言」を発したときです。

南北戦争の結果、奴隷が解放されると、南部の白人農園主たちは困りました。大規模農場で働かせる奴隷がいなくなってしまったからです。そこで、1865年に成立した憲法修正第一三条を悪用しました。

「第1項　奴隷制および本人の意に反する苦役は、適正な手続を経て有罪とされた当事者に対する刑罰の場合を除き、合衆国内またはその管轄に服するいかなる地においても、存在してはならない」

農園主たちは、「刑罰の場合を除き」という例外規定に注目しました。奴隷から解放された黒人たちを、次々に犯罪者に仕立て上げ、囚人労働者として企業に貸し出したのです。黒人奴隷だった時代は「私有財産」でしたから、白人農園主たちは私有財産が病気になったり死んだりしないように、それなりの配慮をしていましたが、「囚人」となれば、そんな気配りはいりません。苛酷な労働を科された黒人たちの死亡率は高いものになりました。

その後も長い間、黒人差別は形を変えて続きました。黒人差別反対運動を非暴力抵抗運動として展開してきたマーティン・ルーサー・キング牧師は、1963年、ワシントンでの集会で「私には夢がある」という有名な演説をしました。これ以降、アメリカの黒人差別は少しずつ姿を消していったように思えますが、実際はそうではありませんでした。黒人たちが政治に影響力を持たないようにさせる策略が続いてきたのです。

「黒人に投票させるな」

2020年の大統領選挙で敗北した共和党は、次の選挙では負けないようにしようと対策に乗り出しています。民主党支持の黒人たちが投票しにくくしようというものです。たとえばアメリカ南部ジョージア州です。ジョージア州は知事が共和党で、州議会も共和党が多数派ですが、2020年の大統領選挙では共和党のトランプ大統領が民主党のバイデン候補に敗れました。また上院議員2人もそろって民主党が当選しました。

どうしてそんなことになったのか。ジョージア州の共和党は、民主党支持の黒人たちが大挙して投票したからだと総括しました。このままでは次の選挙でも負けてしまう。そこで成立させたのが、これまでの選挙の方法を大きく変える法律です。

投票日当日に投票所に行けない人のためには郵便投票があります。その投票用紙を請求するのに、これまではサインでＯＫでしたが、今後は運転免許証あるいは州政府発行のＩＤのデータが必要となります。

郵便投票の用紙は、これまで有権者登録している全員に送ることができましたが、今後は請求者のみに送ることになりました。

郵便投票以外に事前に投票できる投票用紙回収箱が各地に設置されてきましたが、この数を削減します。

本人確認のために自動車運転免許証の提示を求めるというのは、当然のように見えますが、これは黒人が投票しにくくなる仕掛けです。黒人は白人に比べて所得の低い人が多く、自動車を持っていない人が多いからです。自動車の運転免許証を持っていないと、郵便投票の用紙を請求するのが困難になります。

2020年の大統領選挙では、コロナの感染を恐れた民主党支持の黒人の多くが郵便投票をしましたから、郵便投票をしにくくすれば黒人票が減るだろうという計略です。

また、投票用紙回収箱の数が削減されることで、黒人たちの居住区付近にはなくなってしまいます。これまでは自宅から徒歩で投票に行けた人も、それが難しくなります。自動車は持っていないので、バスに乗ってということになれば、面倒くさがって投票を諦める人も出てくるでしょう。

ジム・クロウ法の現代版

ジョージア州の新たな法律は「現代版のジム・クロウ法だ」という批判が、民主党などから上がっています。これは、どういうものなのでしょうか。

「ジム・クロウ」は、19世紀半ばに人気となった大衆向けショーに登場する黒人の名前。実際は白人が顔を黒く塗って演じ、白人の偏見による「黒人らしさ」を強調するものでした。ここから転じて、黒人差別の象徴の名前になりました。

この名前を冠した法律はどういうものか。南北戦争後、リンカーン大統領による「奴隷解放宣言」で奴隷でなくなった黒人たちを差別するために作られた法律の総称です。とりわけ黒人たちが投票できないようにするために工夫が凝らされました。

これは、建前としては「黒人差別ではない」という形をとった法律です。まずは「知能テスト」。投票するに当たって、州の憲法を読んで理解できるかを質問したり、州の最高裁の判事全員の名前を書かせたりする試験に合格する必要があるというものでした。奴隷から解放されたばかりの黒人たちは、十分な教育を受けておらず、読み書きができない人が多かったため、このテストで黒人たちを門前払いできました。

でも、このテストだと、白人もパスしない可能性があります。そこで制定されたのが「父祖条項」です。これは、過去に父祖が投票権を持っていた者の子孫は知能テストが免除されるという条項です。過去に投票権を持っていたのは白人だけでしたから、白人は引き続き投票できるというものです。「黒人は投票できない」とは書いていない法律で黒人が投票できないようになる。これが「ジム・クロウ法」です。今回のジョージア州の法律が、まさに現代版の「ジム・クロウ法」ではないか、というわけです。

こうした露骨な差別の背景には、白人がアメリカの多数派でなくなる日を恐れている保守派の白人たちの恐怖心があります。白人の出生率は低く、このままでは2045年には白人の人口が半数を割ってしまう見込みです。

なんとか白人が支配する国家を維持したい。保守派の白人たちには、こんな思いがあります。ドナルド・トランプを当選させたのも、こうした白人の切迫感でした。

「銃を持つ自由」を大切にする国家

アメリカでは銃の乱射事件のニュースがよくあります。もはや慣れっこになってしまったほどですが、なぜアメリカは「銃社会」なのでしょうか。それは、アメリカが「銃を持つ自由」を大切にする国家だからなのです。

アメリカでは、なぜ銃が自由に購入できるのか。それは、アメリカ合衆国憲法修正第二条に明記されている次の文章が根拠です。

「規律ある民兵団は、自由な国家の安全にとって必要であるから、国民が武器を保有しまた携行する権利は、侵してはならない」

ここでいう「民兵」とは、何を指すのでしょうか。イギリスの植民地だったアメリカは、イギリス軍との戦争に勝って独立を果たしました。このときアメリカ人たちは確固たる軍隊を持っていたわけではない。住民たちが持っていた銃でイギリス軍と戦うことができたから独立を果たしたのだ。この権利は守らなければならない。そんな意識から憲法の修正条項として盛り込まれました。

ただし、ここでいう「民兵」とは、各州が保有する州兵のことであり、個人の武装の権利まで認めているわけではないという主張と、個人の武装の権利まで認めたものだという論争が続いていました。

この論争に決着がついたのは2008年7月のこと。連邦最高裁判所は、個人の武器保有の権利を認めたものだという判決を出したのです。アメリカ人が銃を持つことは、憲法で保障された権利なのです。

この権利を声高に主張してきたのが、全米ライフル協会（ＮＲＡ）です。ＮＲＡは、豊富な資金に物を言わせて、政治への影響力を維持してきました。銃規制を主張する議員がいると、同じ選挙区のライバル候補に政治献金をして、テレビＣＭを大量に流し、銃規制派の候補者を落選させてきました。その結果、銃規制を主張する議員は、少数になってしまったのです。

銃の購入に当たっては、本人に犯罪歴がないか、精神疾患を患っていないかなど事前にチェックする法律がありますが、州によって違い、全米レベルでの規制は存在しません。

トランプ前大統領は任期中、小学校で銃の乱射事件が起きた際には「学校の先生に銃を持たせるべきだ」と主張しました。アメリカの銃犯罪は、まだ続きそうです。

自国を守るために遠くの国で戦争

地政学の観点から見れば、アメリカは「大きな島国」です。地理的にはアメリカ大陸であることは確かですが、大西洋と太平洋に挟まれた海洋国家は、「大きな島国」なのです。

島国が自国を防衛するには、どうしたらいいのか。かつての日本は帝政ロシアの南下政策に危機感を抱き、朝鮮半島や中国大陸に進出していきました。島国であるゆえ、長い国境線を守ることは困難。ユーラシア大陸に軍事拠点を築き、ロシアとの間に緩衝地帯として「満州」という傀儡《かいらい》国家を設立しました。

帝政ロシアそしてソ連は「大陸国家」として、国境を接する地域に自国寄りの国家を置くことによって自国の安全を確保しようとしました。

アメリカは、建国初期の段階ではメキシコを侵略して領土を奪い、自国に抵抗できないような国家にしてしまいましたが、その後は世界に進出していきます。スペインと戦ってグアムやフィリピンを手中に収めます。フィリピンは独立しますが、グアムには大規模な米軍基地があります。

自国を守るために、遠く離れた場所に軍事拠点を設営する。グアムと沖縄の米軍基地は、まさにそんなアメリカの戦略として存在しているのです。

さらには朝鮮戦争やベトナム戦争、湾岸戦争、アフガニスタン戦争、イラク戦争といずれも自国を守るために遠くで戦争をするという定石《じょうせき》です。

中南米においても、世界の物流の要であるパナマ運河を確保するために米軍基地を置き、反米国家が誕生しそうになるとカリブ海の島国グレナダを侵攻しました。また、民主的な選挙で社会主義政権が南米のチリに誕生すると、ＣＩＡを使って軍にクーデターを起こさせて社会主義政権を打倒したのです。

これがアメリカという国なのです。

もちろんアメリカは民主主義国であり、日本にとってかけがえのない国であることは確かです。しかし、民主主義国だからといって戦争をしないというわけではないのです。

東西冷戦が終わってもロシアとの対立が続く世界。猛烈に経済発展を続けてアメリカの地位を脅かす中国。そんな世界の中で世界最大の民主主義国であろうとするアメリカの悩みは尽きないのです。
まずはアメリカという国の裏表を丸ごと理解する。そこから始めるしかありません。

アメリカ情勢を理解するきほん

- □ 科学技術大国である一方で、進化論を否定する人たちがいる「宗教国家」でもある。
- □ 建国初期には、メキシコを侵略して領土を奪った。さらにスペインとの戦争を経て、グアムやフィリピンを手中におさめ、キューバはアメリカの保護領のような存在となったことがある。
- □ アメリカの憲法は、奴隷制を前提として制定された。
- □ 黒人差別の背景には、白人がアメリカの多数派でなくなる日を恐れている保守派の白人たちの恐怖心がある。２０４５年には白人の人口が半数を割ってしまう見込み。
- □ 自国を守るために、遠く離れた場所に軍事拠点を設営。グアムと沖縄の米軍基地は、まさにそんなアメリカの戦略として存在している。

参考・引用文献

第１章

・モディ首相の記者会見　共同通信（２０２３年６月23日）

・「インドの人権状況に懸念＝モディ首相の演説ボイコットも―米」時事通信（２０２３年６月22日）
https://sp.m.jiji.com/article/show/2967267

第２章

・「『アイス事件』怒り続ける中国、ＢＭＷ不買運動も…抗議のため自ら買った大量のアイス配る来場者」読売新聞（２０２３年４月25日朝刊）

・「習近平氏：小康社会の全面的完成の決戦に勝利し、新時代の中国の特色ある社会主義の偉大な勝利をかち取ろう――中国共産党第19回全国代表大会における報告」新華社日本語版ニュースサービス（２０１７年10月28日）　http://jp.xinhuanet.com/2017-10/28/c_136711568.htm

・「台湾関係法」「世界と日本」データベース　日中関係資料集（政策研究大学院大学・東京大学東洋文化研究所）　https://worldjpn.net/documents/texts/JPCH/19790410.O1J.html

・中国が主張する九段線　人民網日本語版（２０１１年11月23日）

第３章

・『ロシアについて』司馬遼太郎（文春文庫・１９８９年）

・「プーチン氏、ピョートル1世に敬意　領土回復の任務『現在と共通』」ロイター（２０２２年６月10日）https://jp.reuters.com/article/ukraine-crisis-russia-europe-putin-idJPKBN2NR001
・プーチン大統領のクレムリンでの演説（ロシア語）http://kremlin.ru/events/president/news/69465

第４章

・「年金改革スト、パリにゴミの山　従業員参加で６６００トン未回収　閣僚と市幹部、互いに非難」朝日新聞（２０２３年３月16日朝刊）
・「純情小曲集」『萩原朔太郎詩集』萩原朔太郎（角川春樹事務所・２０２２年）
・『資料日本英学史２　英語教育論争史』鈴木孝夫監修　川澄哲夫編（大修館書店・１９７８年）
・『フランス７つの謎』小田中直樹（文春新書・２００５年）

第５章

・「本初子午線はなぜグリニッジを通るのか」ナショナル・ジオグラフィック 電子版（２０１３年５月29日）　https://natgeo.nikkeibp.co.jp/nng/article/news/14/8005/
・「英国のＴＰＰ参加の好機を逃すな　中国の『安易な加入』を防ぐために」朝日新聞 電子版（２０２１年２月７日）　https://webronza.asahi.com/business/articles/2021020200008.html?iref=pc_ss_date_article

・「TPP、イギリスの加盟で合意　英経済への影響はわずか」BBC News JAPAN（2023年3月31日）https://www.bbc.com/japanese/65135829

第6章
・"The Perfect European Should be……" KUSHIDA's Web Site http://www1.odn.ne.jp/kushida/hk_kwb-e/hk_0207e.html
・『荒れ野の40年』リヒャルト・フォン・ヴァイツゼッカー述　永井清彦訳（岩波書店・2009年）
・『〈和解〉のリアルポリティクス』武井彩佳（みすず書房・2017年）

第7章
・「林外務大臣の中南米訪問」外務省HP（2023年4月28日）https://www.mofa.go.jp/mofaj/press/release/press6_001490.html
・「人口増加にみるアフリカ市場の可能性と課題」JETRO（2022年12月25日）https://www.jetro.go.jp/biz/areareports/2022/b17b51af306ca379.html

第9章
・「アメリカ合衆国憲法に追加され　またはこれを修正する条項」AMERICAN CENTER JAPAN https://americancenterjapan.com/aboutusa/laws/2569/

・William H. Frey "The US will become 'minority white' in 2045, Census projects" March 14, 2018 BROOKINGS　https://www.brookings.edu/articles/the-us-will-become-minority-white-in-2045-census-projects/

各国の人口とＧＤＰは、世界銀行のデータを参照しました。
「Poplation, total」THE WORLD BANK
https://data.worldbank.org/indicator/SP.POP.TOTL
「Gross domestic product 2022」THE WORLD BANK
https://databankfiles.worldbank.org/public/ddpext_download/GDP.pdf

デザイン（扉裏・図表）　ＦＲＯＧ　ＫＩＮＧ　ＳＴＵＤＩＯ
地図　デザイン春秋会
校正　鷗来堂
ＤＴＰ　株式会社三協美術
編集協力　笠原仁子

池上 彰《いけがみ・あきら》

1950年、長野県生まれ。73年にNHK入局。記者として、さまざまな事件、災害、教育問題、消費者問題などを担当する。94年から11年間にわたり「週刊こどもニュース」のお父さん役として活躍。2005年に独立。名城大学教授、東京工業大学特命教授など、6大学で教鞭をとる。著書に「知らないと恥をかく世界の大問題」シリーズ、「池上彰の世界の見方」シリーズ、『聖書がわかれば世界が見える』など多数ある。また増田ユリヤ氏との共著に『歴史と宗教がわかる! 世界の歩き方』などがある。「池上彰と増田ユリヤのYouTube学園」でもニュースや歴史をわかりやすく解説している。

ポプラ新書
247
歴史で読み解く!
世界情勢のきほん
2023年10月2日 第1刷発行
2023年10月30日 第2刷
著者
池上彰
発行者
千葉均
編集
近藤純
発行所
株式会社 ポプラ社
〒102-8519 東京都千代田区麹町 4-2-6
一般書ホームページ www.webasta.jp
ブックデザイン
鈴木成一デザイン室
印刷・製本
図書印刷株式会社

N.D.C.209 289P 18cm ISBN978-4-591-17947-5

P8201247

ポプラ新書　好評既刊

歴史と宗教がわかる！

世界の歩き方

池上彰　増田ユリヤ

日本人の出稼ぎ先?!都市国家シンガポール、「日本の新しい隣人」ベトナム、ロシア抜きには語れない歴史を持つフィンランド、宗教大国イスラエル——世界遺産、教会やモスク、おすすめのグルメなどを交えながら、各国の歴史と宗教をわかりやすく解説。世界と日本を理解するのにいま知るべき8つの国を旅する気分で学べます。

ポプラ新書　好評既刊

感染症対人類の世界史

池上彰　増田ユリヤ

幾度となく繰り返されてきた感染症と人類の戦い。天然痘、ペスト、スペイン風邪、そして新型コロナウイルス。シルクロードの時代から人と物の行き来がさかんになり、感染症も世界中に広がっていった。人類は感染症とどう向き合い、克服してきたのか——。感染症の流行に冷静に向きあう術を学ぶことができる一冊。

ポプラ新書　好評既刊

ニュースがわかる高校世界史

池上彰　増田ユリヤ

激しくなる米中貿易戦争、そして独裁者たちが望まれる現代は、1929年の世界恐慌から第二次世界大戦に進む流れと似ている。このまま世界は戦争を迎えるのか?　大人になった今こそ歴史を学び、世界で起きていることを理解したい。そんな期待に応えるニュースを読み解くための高校世界史講座。